Un week-end pour changer **votre vie**

Catalogage avant publication de Bibliothèque et Archives nationales du Québec et Bibliothèque et Archives Canada

Anderson, Joan, 1943-

Un week-end pour changer votre vie: trouvez votre moi authentique après toute une vie de dévouement

Traduction de: A weekend to change your life.

ISBN 978-2-89225-683-3

1. Femmes - Psychologie. 2. Femmes – Morale pratique. 3. Réalisation de soi chez la femme. 4. Individualité. I. Titre.

HQ1206.A5214 2009   155.6'33   C2009-940539-3

Adresse municipale:
Les éditions Un monde différent
3905, rue Isabelle, bureau 101
Brossard (Québec) Canada
J4Y 2R2
Tél.: 450 656-2660 ou 1 800 443-2582
Téléc.: 450 659-9328
Site Internet: www.unmondedifferent.com
Courriel: info@umd.ca

Adresse postale:
Les éditions Un monde différent
C.P. 51546
Succ. Galeries Taschereau
Greenfield Park (Québec)
J4V 3N8

Cet ouvrage a été publié en langue anglaise sous le titre original:
A WEEKEND TO CHANGE YOUR LIFE: FIND YOUR AUTHENTIC SELF AFTER A LIFETIME OF BEING ALL THINGS TO ALL PEOPLE
Published by Broadway Books, an imprint of The Doubleday Broadway Publishing Group, a division of Randam House, Inc. New York.
www.broadwaybooks.com

©, Les éditions Un monde différent ltée, 2009
Pour l'édition en langue française
Dépôts légaux: 1er trimestre 2009
Bibliothèque nationale du Québec
Bibliothèque nationale du Canada
Bibliothèque nationale de France

Conception graphique de la couverture:
OLIVIER LASSER ET AMÉLIE BARRETTE

Version française:
JOCELYNE ROY

Photocomposition et mise en pages:
ANDRÉA JOSEPH [pagexpress@videotron.ca]

Typographie: Minion Pro corps 11,8 sur 14,3 pts

ISBN: 978-2-89225-683-3
(Édition originale: ISBN 978-0-7679-2055-1 First Paperback Edition, New York)

Nous reconnaissons l'aide financière du gouvernement du Canada par l'entremise du Programme d'aide au développement de l'industrie de l'édition pour nos activités d'édition (PADIÉ).
Gouvernement du Québec – Programme de crédit d'impôt pour l'édition de livres – Gestion SODEC.

Imprimé au Canada

JOAN ANDERSON

Auteure du best-seller du *New York Times*
A YEAR BY THE SEA

Un week-end pour changer **votre vie**

Trouvez votre moi authentique
après toute une vie de dévouement

UN MONDE 🕴 DIFFÉRENT

À ces femmes qui, le week-end,
s'efforcent de s'épanouir et de changer.
Puissiez-vous devenir les mentors de demain.

TABLE DES MATIÈRES

VENDREDI
L'importance de la retraite
49

VENDREDI SOIR
Libérez la matière première de votre moi
71

SAMEDI
La restauratiaon du corps et de l'âme
95

DIMANCHE MATIN

Resaisissez-vous en trouvant l'équilibre et en érigeant des frontières

143

DIMANCHE APRÈS-MIDI

Régénérez-vous en entreprenant votre second voyage

165

L'APRÈS-RETRAITE
Le retour
189

REMERCIEMENTS

Cette démarche pour trouver mon moi authentique et changer ma vie a commencé en compagnie d'un groupe de femmes vivant dans la périphérie de New York : Cheryl Lindgren, Judy Greenberg, Hazel Kim, Joya Verde et Virginia Dare. Je les remercie d'avoir accepté d'amorcer cette quête avec moi. Et puis ont suivi de nombreux week-ends après lesquels les participantes sont retournées chez elles (dans environ 49 États) et ont commencé à parler des changements qui s'étaient produits en elles – en prononçant des discours, en en parlant à une amie devant une tasse de café, pendant les réunions de leur club de lecture, ou encore en organisant des ateliers coïncidant avec mes visites. Ensemble, nous avons donné naissance à un nouveau mouvement : le mouvement des « femmes inachevées ». À chacune d'entre vous, je serai à jamais reconnaissante.

En *Arizona* : Joyce Anne Longfellow, Sally Arnold, Bernice Grassel, Bunny Perkins, Yvonne Rojas et Barbara Hoffnagle. En *Californie* : Susan Jeannero, Sylvia Bays, Charlotte Hollingsworth. En *Georgie* : Kathy Wheeler. Dans l'*Illinois* : les fondatrices de Maggie's Place, Barbara Benson et Nancy Powers. En *Pennsylvanie* : Barbara DeFlavis, Martha Enck, Betsy Miraglia. En *Floride* : Julie Debs et Susan Pinder. Au *Michigan* : Sue Ann Schredder, Dawn Shapiro, Char Firlik, Julie Morton, Tonja McCullough, Peggy DePersia et Linda Masselink. Au *Minnesota* : Nancy Jorgenson. Au *Massachusetts* : Sally Hunsdorfer. Au *Nebraska* : Anna Anderson. Dans l'*Iowa* : Alice Book. En *Louisiane* : Vicki Armitage. Au *New Jersey* : Cincy Cutcliff, Terry Maricondo, Elaine Ottoway, Kyle Sabitino et Cathy Cohen.

Un merci tout spécial à Jody Donohue qui m'a proposé les services de son agence de publicité pour promouvoir mon ouvrage. Merci également à Pat Haney et à ses talents de cinéaste pour avoir enregistré sur vidéo certaines de mes conférences, et au Chatham Bars Inn qui m'a offert l'hébergement lors de mes déplacements. Il faut une équipe pour écrire un livre et concevoir un programme. Stacy Creamer, mon éditrice, croit fermement que les femmes ont besoin d'un coup de pouce pour s'épanouir et changer, et elle m'a grandement épaulée dans l'établissement des bases de mon programme; Liv Blumer, mon agente, a été la mémoire derrière ma parole pour devenir le mentor derrière ma nouvelle voix; et mon adjointe, Debbie Ebersold, a été un lien merveilleux entre les participantes à mes ateliers de fin de semaine et moi, veillant à la logistique pendant que j'étais occupée à écrire ce livre.

Ma plus profonde gratitude va à Rebecca Anderson, ma conseillère en tout ce qui touche à l'écriture, qui a voyagé avec moi pour prendre le pouls des femmes d'aujourd'hui et qui a ensuite insisté pour que je traite des sujets qui pourraient faire une réelle différence dans la vie des femmes qui veulent et recherchent le changement.

Et finalement, merci aux Salty Sisters, un groupe de femmes qui ont fait connaissance pendant un week-end et qui ont continué d'influer sur leurs vies respectives par le biais de courriels, de rencontres régulières et de retraites-vacances. Vous êtes la preuve de ce que croyait Margaret Mead: «Ne doutez jamais qu'un petit groupe de gens réfléchis et engagés puisse changer le monde. C'est d'ailleurs toujours comme cela que ça s'est passé!»

UNE NOTE DE L'AUTEURE

Dans ce livre, je me suis inspirée de la voix et des témoignages de nombreuses femmes dont j'ai fait la connaissance au cours des neuf dernières années. Certains exemples sont des amalgames de nos expériences respectives, d'autres sont tirés directement des ateliers tenus pendant mes week-ends, et d'autres encore sont basés sur des entrevues que j'ai réalisées pour cet ouvrage. Dans tous les cas, j'ai modifié les noms afin de protéger la vie privée de ces femmes, qui sont encore aujourd'hui engagées dans un processus d'épanouissement et de changement.

INTRODUCTION

La plupart des femmes de 30 à 70 ans se posent la même question :
« Comment, après toute une vie de dévouement, puis-je devenir
celle qu'il me faut devenir ? »

J'entends certaines d'entre vous dire : « Impossible, c'est trop de
travail. »

« Je n'arriverai jamais à me libérer suffisamment de mes obligations pour me consacrer pleinement à ce projet », disent d'autres.

Eh bien, peut-être. Mais voyez-vous, j'ai moi aussi déjà été
tellement vidée de toute énergie à force de répondre aux besoins et
aux attentes de tout le monde que j'ai frôlé le désespoir. Le simple
fait d'être vivante ne me nourrissait plus. Je savais qu'il me fallait
écouter mon cœur et commencer à mieux prendre soin de moi.
Mais, comme vous, je ne savais pas comment m'y prendre. Et puis,
un jour, dans un acte de foi aveugle, j'ai décidé de partir pendant un
certain temps. Et depuis, je n'ai plus jamais regardé en arrière.

Ma fuite a été un geste purement instinctif. J'étais à mi-chemin
d'un siècle de vie et j'ai estimé que c'était le moment ou jamais : il
me fallait écouter ma propre voix, ou tout simplement continuer à
suivre la troupe. Quelque part, au plus profond de moi, je savais qu'il
y avait une myriade de désirs, d'idées et de plans qui n'avaient jamais
trouvé d'oreille attentive et que j'avais pris l'habitude d'ignorer. Il
était temps de leur laisser le champ libre. La fuite semblait être la
seule solution. Me rendre dans un lieu où je pourrais être seule –
loin des amis, de la famille et des influences extérieures – m'aiderait
à prendre un nouveau départ, à renouer avec qui j'étais et celle que
je voulais être.

Bien sûr, il y avait un prix à payer pour cela. Ma décision de m'installer seule sur la presqu'île du cap Cod a été très impopulaire, lorsqu'elle n'a pas carrément été perçue comme une menace aux yeux de la majorité des gens qui faisaient partie de ma vie. Outre un mari troublé et fâché, de nombreux amis et connaissances m'ont traitée d'égoïste, alors que d'autres ont conclu que j'étais tout simplement devenue une féministe enragée. Le caractère décapant de cette dernière étiquette me hérissait. Ne pouvaient-ils pas voir que j'étais simplement arrivée à un point tournant et que j'avais besoin de m'engager sur une nouvelle voie? Néanmoins, leurs jugements ont alimenté mes craintes. Je donnais certainement l'impression d'avoir perdu toute compassion et d'être même devenue un peu folle. Tout ce dont j'étais certaine, c'est que j'étais fatiguée et vidée. Le côté léger de ma personne avait toujours été brimé par une culture mettant l'accent sur le «faire» plutôt que sur l'«être», et je n'aimais pas beaucoup la vie qui était la mienne.

Après une année passée dans la solitude, à parcourir les dunes et à arpenter les plages du cap Cod, j'ai graduellement vu plus clair en moi et renoué avec mon intuition et mon instinct, j'ai guéri les blessures que je m'étais infligées par ma négligence pour finalement mettre à jour une ardoise vierge sur laquelle dessiner le reste de ma vie. En cours de route, j'ai réalisé que les flèches que l'on me lançait n'avaient pas grand-chose à voir avec moi. Elles n'étaient que le reflet de la peur du changement et de la perspective de ne plus pouvoir s'appuyer sur moi qui habitaient les autres. Ma tâche consistait à sauver la seule vie que je pouvais sauver : la mienne !

Pendant cette année que j'ai passée seule, j'ai eu la chance de faire la connaissance d'une vieille femme sage qui est devenue mon amie et mon mentor. Joan Erikson était mariée au célèbre psychanalyste Erik Erikson et avait élaboré avec lui une théorie selon laquelle l'identité d'un individu s'affirme tout au long d'un cycle de vie formé de huit phases. En plus de travailler avec son mari, elle était une artiste, une bonne auditrice et une chercheuse. Elle m'a appris à danser au-delà des vagues déferlantes, des écueils, des récifs, à rattraper les mailles échappées du tricot de ma vie, à vivre dans le présent, à nourrir et à aimer mon corps, et à ne jamais cesser de profiter de l'aventure. Son amitié m'a soutenue tout au long de ce voyage difficile. Elle a ravivé mon moral en miettes avec son rire et son amour de la chanson, elle m'a tenu compagnie pendant des soirées particulièrement sombres et solitaires, et elle m'a aidée à trouver un sens à ma vie derrière le voile de désespoir qui l'obscurcissait en m'encourageant à être procréative et à partager mes expériences. Je chéris sa plus importante leçon : « Nous avons toutes la responsabilité de nous approprier la sagesse et le soutien qui croisent notre route, et puis, plus important encore, de les transmettre à autrui. »

Donc, lorsque quelques vieilles amies sont venues me rendre visite et qu'elles ont remarqué non seulement la nouvelle légèreté de ma démarche, mais aussi mon attitude insouciante et heureuse, je me suis penchée sur les étapes qui avaient conduit à ma transformation. Bien que je me sois laissé porter par le courant au cours des premiers mois, permettant tout simplement à mes journées de s'écouler librement plutôt que de me fixer des buts et des objectifs précis, j'ai pu discerner un schéma dans mon cheminement et isoler quelques-uns des exercices qui m'avaient aidée à aller de l'avant. Grâce aux encouragements de Joan, j'ai couché mon histoire sur papier, dans trois essais qui sont devenus des best-sellers, et ce, dans le but d'encourager d'autres femmes à sortir du carcan de leur vie, sinon pour un an, mais du moins pour une semaine ou le temps d'un week-end, afin qu'elles apprennent à écouter enfin ce que leur cœur s'évertue à leur dire.

Ces livres ont touché une corde sensible. Des milliers de femmes ont envahi les librairies pendant mes séances de dédicaces, d'autres m'ont invitée à des réunions de leur club de lecture, et il m'est devenu pratiquement impossible de répondre à tous les courriels et à toutes les lettres de ces femmes qui se disaient soulagées que quelqu'un ait transposé en mots leurs véritables sentiments. Toutes en voulaient davantage : davantage d'histoires, davantage d'inspiration et davantage de conseils. Deux lettres sont particulièrement représentatives de cette correspondance :

« Je viens de terminer la lecture de A Walk on the Beach, *et je suis ravie. À ce stade de ma vie, au moment où tout ce que j'ai connu et fait pendant 27 ans arrive à un terme et change, j'admire le courage dont vous avez fait preuve pour prendre votre vie en main. Mais comment avez-vous fait exactement ? Pouvez-vous me donner des conseils ? Y a-t-il une recette que je pourrais suivre ? »*

∾

« Je viens de lire A Year by the Sea. *Votre livre m'a profondément touchée, de multiples façons. J'ai 52 ans et j'ai atteint ce stade où j'ai besoin de me réinventer. La façon dont vous avez fait vos bagages et êtes allée vivre sur la plage est merveilleuse, mais déconcertante pour moi. Il semble que je sois figée dans mon espace, et bien que j'aie envie de bouger pendant un court laps de temps, imaginer le faire pour toujours m'apparaît trop terrifiant. Comment avez-vous trouvé le courage ? Comment avez-vous surmonté l'ennui ? Comment avez-vous maîtrisé l'impatience ? Dans votre livre, tout semble si simple et je sais que ça ne l'est pas. Que puis-je faire ? »*

De toute évidence, d'autres femmes ont le désir de trouver un sens à leur vie, au-delà du rôle qu'elles jouent déjà. Elles n'ont besoin que de temps, d'un soutien encourageant et de quelques gentils conseils. C'est pourquoi j'ai commencé à organiser des retraites, le temps d'un week-end. Maintenant, quelque huit ans plus tard, des femmes de tous les coins du pays continuent de participer à ces retraites et aux ateliers que je donne dans diverses villes. Elles viennent apprendre à découvrir le moi qu'elles ont si bien dissimulé, année après année, décennie après décennie. Elles viennent marcher sur la plage, partager leur histoire avec d'autres femmes et, grâce à la sagesse que j'ai acquise, elles renouent avec leur moi authentique. Elles arrivent toutes avec en elles la douleur, pointant du doigt un mariage à la dérive, des enfants exigeants, un nid soudain vide, un patron dominateur, une carrière sans lendemain, eh oui, plus que tout, une vie qui a perdu tout éclat. Je les salue et leur dis : « Bienvenue au club, mes sœurs. Il est temps de commencer une nouvelle vie ! »

Qui sont ces femmes ? Ce sont des femmes de carrière qui croyaient pouvoir tout accomplir ; des mères au foyer dont les enfants sont partis, les laissant seules avec la soif d'être à nouveau utiles ; des femmes veuves ou divorcées depuis peu qui se retrouvent devant un avenir solitaire dans un monde où règne le couple ; des jeunes mères qui se sont évadées pour la première fois du bruyant tourbillon de leur vie ; des femmes seules qui se demandent si elles n'ont pas raté quelque chose en choisissant le célibat.

En plus des mères, il y a aussi les filles, les sœurs, les tantes, les grands-mères et les amies qui viennent des quatre coins des États-Unis et du Canada. Elles sont à la fois désespérées et courageuses, prêtes à faire ce qu'il faut pour s'approprier leur moi. Pendant ces retraites, elles apprennent à vivre le moment présent, à dévier de leur trajectoire, à désapprendre les règles, à s'accorder du temps libre, à être parfaites dans leurs imperfections, et à passer à l'action de manière à provoquer le changement.

Bien qu'une telle évasion, ne serait-ce que le temps d'un week-end, soit un luxe pour beaucoup d'entre nous, trouver le temps de changer est une nécessité. Oui, il y a des obstacles. Mais la majorité d'entre eux sont érigés par nous. Lorsque j'ai participé au *Oprah Winfrey Show* et que j'ai expliqué que j'avais quitté la maison afin de me trouver, une femme qui était assise au premier rang a levé la main et soutenu qu'elle serait incapable de faire une chose pareille. « J'ai plusieurs enfants, a-t-elle dit d'une voix plaintive, et un emploi et un mari. »

J'ai senti que mon histoire la remplissait autant de confusion que d'indignation, mais j'ai ravalé ma culpabilité, me suis assise bien droite, l'ai regardée dans les yeux et lui ai dit : « Il y a 8 760 heures dans une année. N'est-il pas désolant que vous n'arriviez pas à en trouver une seule pour vous ? »

« Désolant !, s'est exclamée Oprah de son extraordinaire voix traînante. L'avez-vous entendue ? Désolant ! »

L'auditoire a éclaté de rire, mais longtemps après la fin de l'émission, j'ai réalisé à quel point la question soulevée était importante. Si les femmes ne trouvent pas le temps de se régénérer et de guérir leurs blessures, c'est effectivement désolant. De fait, je ne connais pas une seule femme qui peut affirmer que les membres de sa famille insistent pour qu'elle trouve 20 minutes de joie ! De plus, personne ne nous pousse vers la liberté ou la fuite. Il nous faut nous lever et agir seules. Ce geste exige beaucoup de volonté et de courage, mais comme Joan Erikson me l'a dit un jour : « C'est de la faiblesse que de rester assise et d'attendre que la vie vienne à nous. »

Il ne faut pas que nous passions un seul instant de plus à être des étrangères dans notre propre corps. Nous avons été de bonnes filles suffisamment longtemps. J'ai écrit ce livre pour vous motiver à commencer une nouvelle vie. J'y expose les étapes que j'ai franchies instinctivement pendant l'année que j'ai passée au bord de la mer, ainsi que le processus que j'enseigne pendant mes ateliers de fin de semaine, et tout cela en amalgamant mon histoire à celle d'autres femmes.

Ce processus ne se veut pas une tâche ardue ni n'est associé à des contraintes de temps. Nous, les femmes, n'avons pas besoin d'un surplus de travail, ni que quelqu'un nous dicte notre conduite. De plus, on ne peut imposer un échéancier au travail de l'âme. Il y a autant de trajets qui ramènent à soi que de femmes pour les emprunter et, au bout du compte, chacune doit tracer sa propre voie.

Certaines femmes préfèrent attendre que leur angoisse existentielle s'estompe d'elle-même. Elles ne veulent pas se faire dire qu'il est temps pour elles d'occuper le devant de la scène, de cesser de jouer tous leurs rôles, d'effacer des années de trac bien enraciné et d'avancer sous les projecteurs, de faire porter leur voix le plus loin possible et de crier : « Je veux, j'ai besoin, je suis. »

Mais ce n'est pas seulement l'effort nécessaire qui les arrête. C'est le manque d'orientation. Nous avons toutes besoin d'un plus grand nombre de mentors. Nos systèmes traditionnels de soutien se sont fragmentés. Trop de familles sont divisées par le divorce et séparées par de longues distances. Mères et filles partagent rarement les mêmes points de repère, valeurs ou attentes. Nous sommes tellement nombreuses à nous sentir isolées et à la dérive. Avec cet ouvrage, dans lequel je mêle mon histoire à celle d'autres femmes en devenir, j'espère que vous commencerez à vous sentir à l'aise avec vos besoins, avec le processus que je propose et la perspective de trouver un réseau de soutien.

Ce livre n'est pas un guide conventionnel. J'ai horreur des manuels pratiques, conçus sur l'hypothèse selon laquelle il suffit de mémoriser des étapes et de se conformer à des règles pour se perfectionner. Qui veut être parfaite? La perfection, c'est le Botox et la taille 6. Dieu n'a jamais voulu que nous soyons toutes identiques. Au lieu de quoi, ce livre vous fournira un contexte dans lequel évoluer et vous reconnaître. Parcourez les chapitres qui suivent graduellement, en prenant votre temps, ou encore franchissez toutes les étapes en l'espace d'un week-end comme il est décrit dans la section intitulée: « Un ordre du jour pour changer votre vie en un week-end », qui vous permettra de recharger vos batteries, et que vous trouverez à la postface.

Vous pouvez faire les exercices avec des amies ou seule. Les femmes qui ont participé à mes retraites affirment qu'il est possible de s'isoler pendant un week-end et de vivre une expérience qui change toute une vie, et je conseille vivement à chacune d'entre vous d'essayer de trouver ce temps. Vous pouvez vous servir de pages vierges pour consigner vos progrès, ou encore tenir un journal intime.

Quelle que soit la façon dont vous déciderez d'employer ce livre, je vous encourage à acheter un carnet et à prendre des notes tout au long de votre lecture. Vos réactions deviendront les éléments d'une conversation avec mon texte et un tremplin pour vos propres idées. J'ai conservé toutes les pensées que j'ai couchées sur papier et tous les exercices que j'ai faits pendant l'année que j'ai passée seule, et je consulte continuellement mes notes afin d'y trouver encouragement et inspiration. Si vous choisissez de parcourir les diverses sections de ce livre dans le désordre, assurez-vous tout de même de commencer par le premier chapitre afin de bien comprendre votre besoin de changement.

Nous sommes toutes des sœurs dans cette lutte que nous menons pour réévaluer nos routines et nos rôles, et nous devons nous encourager mutuellement à prendre davantage de risques. Comme l'a dit un jour T.S. Eliot : « Seuls ceux qui prennent le risque d'aller trop loin peuvent éventuellement découvrir jusqu'où ils peuvent aller. »

Donc, si vous aspirez à trouver votre moi authentique, à dissiper votre épuisement moral, à jouir du moment présent, à lâcher prise, à guérir de vieilles blessures ou à exhumer d'anciennes facettes de votre être, ce livre est pour vous. Voici l'occasion de vous poser enfin les vraies questions, de changer votre routine, de rompre avec les normes, de remettre en question le *statu quo*, et de vous approprier une partie de chacune de vos journées. Après tout, la vie n'est qu'une réponse.

Dans la vie de toute femme vient un moment où elle est appelée à se prendre en main. Ce moment est-il arrivé pour vous ? Bien entendu, il vous faudra faire preuve de discipline, de détermination, de confiance et y consacrer du temps. Mais au bout du compte, vous comprendrez les mots de Platon : « L'essentiel n'est pas de vivre, mais de bien vivre. » Alors foncez. Faites le grand saut, même si une petite voix en vous tente de vous retenir. Et ensuite, ne regardez plus jamais en arrière. Enfin, c'est à votre tour.

LA PRÉRETRAITE

Réalisez que vous avez besoin de changer

Réveillez-vous, mes sœurs, c'est à votre tour

« L'esprit se retrouve en friche lorsque le sol devient aride à cause de l'épuisement. »

HOWARD THURMAN

Admettez que vous êtes perdue

Une vie bien remplie exige qu'on la cultive. Dès que nous cessons de manier la charrue, négligeons d'ensemencer, oublions de fertiliser, nous perdons la récolte. Et pourtant, la majorité des femmes que je connais ont laissé leur vie se flétrir au service d'un quelconque idéal supérieur.

Ayant appris cet art qu'est l'accommodement, la majorité d'entre nous avons développé un talent particulier pour l'altruisme. Nous avons mis notre propre vie en veilleuse pour nous consacrer à améliorer celle des autres, et nous ne sommes même plus capables d'imaginer connaître une aventure, l'amour ou un but personnel. Bref, nous avons dévié de notre trajectoire et nous nous sommes engagées sur une voie qui ne mène pas à l'autosatisfaction, croyant sottement que, après avoir tout fait, tout donné, tout tenté et trop travaillé, quelqu'un nous offrirait une récompense. Mais le prince charmant était une mauvaise blague, et toutes les bonnes fées sont mortes.

Au lieu de vivre heureuses jusqu'à la fin de nos jours, la majorité d'entre nous héritons de la douleur. Nous souffrons chaque jour de la faim lancinante d'en avoir davantage, de la soif de nous dépasser, mais nous sommes trop blasées, fatiguées ou déprimées pour faire quoi que ce soit à cet égard. Nous avons passé la majeure partie de notre vie à nous vider de notre contenu comme des cruches. Il n'est pas étonnant que nous nous sentions lasses. Il nous manque l'énergie nécessaire, une bonne carte routière et un type quelconque d'orientation et de soutien. Eh bien, il est temps de changer tout cela.

La première étape consiste à réaliser que vous êtes perdue. Dans le film d'Ingmar Bergman intitulé *Face-à-face*, Jenny qui est une femme accomplie quoique vide, dit que nous, les femmes, jouons un rôle. Nous apprenons les répliques. Nous savons ce que les gens veulent que nous disions. Elle affirme que, en fin de compte, ce n'est même pas délibéré, parce que nous avons une conscience trop aiguë de notre comportement. Bref, il peut nous sembler pratiquement impossible de nous défaire de nos habitudes de rendement et de retrouver la matière première de la personne que nous avons été jadis. Mais ça ne l'est pas.

J'étais une mère banlieusarde de deux garçons, une épouse qui épaulait un homme occupé, une fille et une belle-fille dévouée à quatre parents vieillissants, ainsi qu'un soutien fiable pour de nombreux membres de la famille et amis. Enchaînée à mon agenda et à mon téléphone, je m'enorgueillissais d'être une merveille capable de mener plusieurs tâches de front, posant en cours de route un baume sur des genoux écorchés, des chagrins et même certains des mariages chancelants de mes amis. Il suffisait que l'on m'appelle et j'organisais avec joie une vente de charité pour l'école, m'occupais d'une campagne de promesses de dons pour l'église, tranchais des oranges et servais de la Gatorade pendant les parties de football et de basketball des enfants, tout en rédigeant quelques articles pour un journal local afin d'arrondir les fins de mois. Mon calendrier était tellement rempli que je devais coller des bouts de papier sur les marges.

Le matin, je sautais du lit et enfilais quelques vêtements, préparais le petit-déjeuner, le repas du midi des enfants, disais au revoir à tout le monde, allais faire une promenade et les courses, m'attaquais aux tâches ménagères, retournais à la cuisine pour préparer le souper, faisais encore un peu de ménage, embrassais tout le monde au moment du coucher et, finalement, m'écroulais sur mon lit. Dans l'ensemble, je m'en tirais si bien que jamais personne ne pensait à me donner un coup de main. Si on me l'offrait, je refusais généralement, persuadée que j'avais le contrôle de la situation.

Je travaillais comme une forcenée, mais je me sentais importante et valorisée par mes réalisations. Après tout, n'étais-je pas l'organisatrice des plus belles fêtes d'anniversaire, des plus belles vacances et des plus beaux rassemblements familiaux lors d'occasions spéciales? J'aidais les autres, et tant leurs progrès que leurs sourires m'apparaissaient comme des récompenses suffisantes. Je tirais ma valeur personnelle du fait que j'étais la préposée aux soins à domicile. C'était comme si j'avais été conçue pour jouer ce rôle.

Avec le recul, je me rends compte que c'est un apprentissage qui avait commencé à la puberté, lorsque mon corps s'était éveillé à une vie qui lui était propre. Dès que les hormones ont commencé à se manifester, les quarante années suivantes se sont tracées d'elles-mêmes. Je n'ai pas été plus forte que mon désir de m'accoupler, de procréer, de soigner, emportée pendant tout ce temps dans un tourbillon vertigineux d'excitation, de désir et de jeux de rôles.

Mais le fait d'être cette pourvoyeuse invisible a finalement apporté sa part de désillusions, un sentiment planant comme une menace qui me disait que je n'étais pas aussi comblée que je le croyais. Souvent, un voile d'incertitude descendait inopinément sur moi lorsque, par exemple, ma mère m'aidait à servir le dîner et répétait ce mantra séculaire: «Ce sont toujours les mères qui mangent les ailes de poulet.» C'est une blague qui remonte à la grande crise économique de 1929, lorsqu'une ménagère astucieuse arrivait à nourrir une famille de six personnes avec un minuscule poulet rôti. Pourtant, chaque fois que j'entendais ma mère parler de ces femmes qui se contentaient du morceau le moins convoité de la volaille, je me sentais désolée pour elles. Après tout, les mères n'étaient-elles pas importantes ? N'avaient-elles pas besoin de se nourrir comme tout le monde ?

Ces doutes et ces interrogations sont devenus plus fréquents lorsque mes fils ont quitté la maison pour aller étudier au collège. Des cases vierges ont commencé à apparaître sur le calendrier, et j'ai soudain eu trop de temps libre. Que devais-je faire maintenant ? Je n'en avais malheureusement pas la moindre idée. Trop soucieuse de m'occuper des autres, j'avais complètement oublié que, moi aussi, j'avais des besoins, des désirs et des buts. Je me suis donc réfugiée auprès de mes amies et, ensemble, en buvant trop de vin, nous nous apitoyions sur notre situation désespérée. Nous nous éveillions toutes devant la dure réalité : aucune d'entre nous n'avait pris la peine d'investir dans son avenir individuel. De plus, mon amie Cheryl a conclu : « On ne nous offre pas une montre en or au moment de la ménopause ! »

Cherchant des façons de soulager notre douleur, nous avons commencé à louer des films mettant en vedette des femmes arrivées à un carrefour, uniquement pour voir comment chaque protagoniste arrivait à se sortir du bourbier. Dans *Alice n'est plus ici*, Ellen Burstyn décide de partir, tout comme Shirley Valentine dans le film du même nom. Jill Clayburgh connaît une série d'aventures dans *La femme libre*, et la pauvre Gena Rowlands devient tout simplement folle dans *Une femme sous influence*.

Aucune de ces histoires ne nous a offert une réponse convaincante et nous sommes donc allées chacune de notre côté. Virginia s'est inscrite à l'école de droit ; Adelia est devenue agente immobilière ; Judy, veuve depuis peu, a pris un amant et, ensemble, ils se sont mis à parcourir le monde ; Helen est « sortie du placard » ; Julie s'est laissée bercer par la joie d'être grand-mère ; et Cheryl est allée s'installer sur son île favorite du Maine avec son mari. J'ai applaudi les décisions de mes amies, mais les choix qu'elles avaient faits m'apparaissaient surtout comme une façon de trouver quelque chose à faire ou une nouvelle relation qui ne servirait qu'à les distraire de leur douleur. J'avais envie d'autre chose, mais je n'arrivais tout simplement pas à mettre le doigt dessus.

Je suppose que j'attendais un signe ou un événement, une sorte de rituel qui me donnerait la liberté de m'engager sur une nouvelle voie et de trouver une nouvelle identité. Et il y en a eu des rituels : mes fils ont obtenu leur diplôme universitaire ; l'un s'est marié et l'autre s'est fiancé ; mon père est décédé ; mon mari a eu 50 ans. Mais toutes ces transitions étaient axées sur les autres. Même si j'ai été intimement touchée et transformée par ces événements, aucun d'entre eux ne mettait l'accent sur moi. Encore une fois, j'étais l'instigatrice de moments spéciaux et me sentais ensuite déçue une fois que l'intensité de l'événement se dissipait.

Et puis, un jour de Noël, alors que je rendais visite à mes enfants mariés, j'ai véritablement commencé à comprendre qu'il fallait que je cesse de chercher de l'aide chez les autres ; c'était à moi qu'il appartenait d'apporter des changements dans ma vie. Dès que Robin et moi sommes arrivés, j'ai senti que je n'étais vraiment pas à ma place. Les enfants avaient des projets précis pour les vacances, et bien qu'ils aient pris soin de les adapter pour plaire à la famille, la plupart des activités prévues ne m'étaient pas familières. Mais le pire, c'est que toutes mes propositions d'aide semblaient tomber dans l'oreille d'un sourd.

Je me disais encore et encore que les enfants se devaient de nous rejeter s'ils voulaient vivre leur vie. Mais je n'étais pas préparée à gérer cette passation des pouvoirs ni à interpréter mon tout nouveau rôle de second violon. Je me suis donc retirée dans la chambre à coucher pour cacher mon embarras. J'avais appris longtemps auparavant que l'idéogramme chinois qui symbolise la notion de « conflit » est deux femmes sous un même toit, et en dépit de la gêne que je ressentais, j'étais déterminée à éviter pareille situation.

Pour dire toute la vérité, je voulais réintégrer mon ancien rôle. Je voulais continuer à orchestrer et à perpétuer les traditions : le gâteau au café comme le faisait ma grand-mère, les bas de Noël, le brunch suivi de l'échange de cadeaux et les œufs à la bénédictine. Mais il y avait longtemps que j'avais réalisé que les « je veux » étaient dictés par l'ego : « Je veux encore être importante pour mes fils, je veux des fêtes de Noël à ma façon, je veux que les traditions demeurent telles que je les ai toujours dictées ». Il fallait que je mette de côté mes désirs et que je commence à me concentrer sur les « je suis » si je voulais connaître une nouvelle vie et le bonheur auquel j'aspirais. Il était temps que je m'attelle à devenir une nouvelle moi, et la première étape consistait à admettre que j'étais perdue.

Peu après Noël, une chose étrange est arrivée et m'a obligée à prêter davantage d'attention à l'invitation que je m'étais lancée. J'ai commencé à avoir mal à la gorge et la douleur a graduellement augmenté jusqu'à ce qu'il me soit pratiquement impossible d'avaler quoi que ce soit. « *Cancer de l'œsophage, ai-je pensé, ou, tout au moins, un cas grave de reflux gastro-œsophagien!* » Paniquée, je me suis précipitée chez mon interniste. Après plusieurs tests, elle a conclu que mes symptômes n'étaient la manifestation d'aucune maladie. Au lieu de me donner une ordonnance, elle m'a tendu un livre qu'elle venait de lire, *Transformez votre vie*[1] de Louise Hay.

Dans ce petit ouvrage, Louise Hay explique comment les émotions négatives et une grande anxiété se traduisent fréquemment par une douleur physique, c'est la façon que choisit notre corps pour nous dire de changer nos comportements et de vivre différemment. Dans mon cas, j'ai dû admettre que je n'étais plus capable de gober la vie que je menais. Donc, malgré mes craintes, j'ai entrepris le travail solitaire qui me permettrait de trouver un nouveau moi.

La psychiatre que je consultais depuis peu a applaudi ma décision. « C'est bien que vous vouliez être votre propre héroïne, m'a-t-elle dit. C'est une tâche difficile, qui se fait dans la solitude. Vous devez rompre avec les schémas de votre passé, et ce n'est pas une tâche aisément réalisable pour une femme aussi compatissante que vous, mais elle mérite bien les efforts qu'on y met. » Bien qu'elle ait continué à me sensibiliser, elle ne m'a pas dit comment me débarrasser de ces schémas abrutissants, comment apaiser ma douleur intérieure lancinante, ou comment devenir ma propre héroïne. Elle m'a laissée perplexe, indécise quant à la façon de procéder, et j'ai

---

1. *Transformez votre vie*, disponible en français sous forme d'enregistrement sonore (AdA, Varennes).

continué à lutter avec mes sentiments d'apathie, de lassitude et de stagnation.

Un acte de foi aveugle

C'est alors que le destin est intervenu. Mon mari m'a annoncé qu'il avait trouvé un nouvel emploi intéressant dans un État voisin et que nous déménagerions dans deux mois. « *Nous, me suis-je surprise à penser, qu'est-ce qui vient avec ce nous qui semble aller de soi ?* » Pendant que je l'écoutais avec incrédulité, je me suis encore une fois surprise à échafauder un plan de mon cru ; je verrais cette occasion qui s'offrait à lui comme une chance de faire quelque chose pour moi et de me réfugier dans notre chalet du cap Cod pendant une brève période de temps. Les mots sont sortis de ma bouche avant même qu'ils ne soient complètement formés dans mon esprit, et je nous ai tous deux choqués. Auparavant, je me reprenais et m'excusais d'avoir exprimé mes désirs et mes opinions lorsque des mots m'échappaient malencontreusement. Cette fois-là, je ne l'ai pas fait. Mon instinct m'a dit de ne pas revenir en arrière.

Mais faire un bond en avant est une chose, et retomber sur ses pieds en est une autre. Cela a été une décision impulsive, c'est sûr, et je n'avais pas la moindre idée de ce qui m'attendait jusqu'à ce que j'arrive au chalet où il n'y avait personne pour m'accueillir et aucune distraction au programme.

Déverrouiller la porte et pénétrer dans un lieu que les stores baissés plongeaient dans l'ombre m'a donné l'impression d'une douche froide à la lumière de la commotion que j'avais causée en annonçant ma grande évasion. J'ai vite retiré les draps qui couvraient l'ameublement défraîchi et ouvert les fenêtres pour débarrasser l'air de la poussière. Mais rien de ce que j'ai fait n'a réussi à me mettre plus à l'aise dans cet endroit pourtant familier. Je me suis donc empressée de quitter mon nid désert et je me suis précipitée sur la plage. Marcher au bord de la mer a toujours eu sur moi un effet calmant, et j'avais hâte de sentir l'ivresse que me procurent les vagues coiffées d'écume et le ressac.

Je me suis plutôt retrouvée devant une mer d'huile, sans signe visible d'énergie ou de mouvement. Mais en y regardant de plus près, j'ai remarqué le cercle familier indiquant que ce devait être le jusant – ce moment où la marée n'est ni ascendante ni descendante, où la mer fait tout simplement un tour sur elle-même. Peut-être, ai-je conclu, cette mer endormie était-elle un signe pour m'inciter à me plonger dans une sorte de sommeil psychique, peut-être devais-je, moi aussi, m'immobiliser, peut-être que me mettre au neutre pendant un certain temps m'aiderait à apaiser mon âme douloureuse.

Pendant les jours qui ont suivi, j'ai rempli mon sac marin et je suis allée sur la plage, faisant coïncider mon arrivée avec le reflux de la marée ascendante. Accroupie sur les dunes, les genoux relevés sur la poitrine et me berçant au rythme des flots, j'ai essayé de revenir dans le temps afin d'y retrouver une vision que j'avais sans doute eue de ma vie avant qu'elle ne soit prise de folie furieuse.

Même si j'arrivais à me remémorer de nombreux événements lointains, les dernières années baignaient dans le brouillard. Il me fallait des heures pour me rappeler même les plus petits détails, alors imaginez ce qu'il en était pour les grands moments. Mais, refaisant encore et encore l'exercice, j'ai finalement réussi à me rappeler mon anniversaire, un voyage dans l'Ouest, une proposition de reportage pour un magazine, et avoir été clouée au lit par un mal de dos. Une fois que j'ai pu reconstituer toute une année, j'ai passé une journée pluvieuse à réfléchir à chacun des événements : était-ce amusant, excitant, difficile, malheureux, triste, déprimant ? Dans l'ensemble, mes souvenirs demeuraient fragmentaires, et un grand nombre des événements m'apparaissaient, avec le recul, avoir été tous franche-ment épuisants.

J'ai décidé d'entourer de carrés □ les moments épuisants, de triangles △ les moments grisants, de cœurs ♡ les moments partagés avec mon mari et, finalement, de cercles ○ ces activités que je m'étais réservées. Lorsque j'ai examiné le portrait global, j'ai été plus qu'éton-née. La page était en grande partie couverte de carrés ! Ce qui avait commencé comme un petit exercice s'est transformé en une révéla-tion majeure. Il était évident que je vivais davantage pour les autres que pour moi-même, et que j'avais donné beaucoup plus de plaisir que je n'en avais reçu. J'étais épuisée et, par-dessus le marché, c'était ma faute. J'étais devenue la victime involontaire de ma propre obsession à planifier, à aider et à organiser !

L'exemple le plus triste de tous était le mariage de notre fils. Parce que la famille de sa fiancée vivait très loin, j'avais dû organiser le mariage avec un budget serré. Même si je pensais m'amuser, j'ai été tellement occupée à régler les moindres détails pour que tout soit parfait (bien entendu) que je ne me rappelle strictement rien. Quelques jours plus tard, je me suis hâtée de faire développer les photos que nous avions prises afin de voir et, je l'espérais, de me rappeler tout l'apparat et toute la splendeur de l'événement.

Donnez à votre vie toute l'attention qu'elle mérite

Je suis lentement arrivée à la conclusion qu'il faut du temps et du silence pour déterminer ce qu'on a éprouvé, pendant et après un événement, qu'il soit anodin ou important. « Quels sont mes sentiments au sujet de la fête-surprise que j'ai organisée pour mon mari ? » Et je ne veux pas dire : « Comment était le gâteau ? Est-ce que les invités se sont bien amusés ? Mon mari a-t-il aimé ses cadeaux ? La fête était-elle plus réussie que celle qu'il avait organisée pour mon anniversaire ? » Je veux dire : « Qu'est-ce que j'ai éprouvé ? Est-ce que j'ai eu du plaisir ? Est-ce que cela a été épuisant ou grisant ? Si c'était à recommencer, est-ce que je me donnerais autant de mal ? Qu'est-ce que je voulais retirer personnellement de cette fête, et est-ce que j'ai obtenu ce que je voulais ? » Ce ne sont pas là des questions que nous nous posons lorsque nous sommes occupées à aider les autres et à jouer notre rôle.

Après avoir fait cet exercice par une journée pluvieuse, je me suis juré de tracer davantage de cercles sur le calendrier de l'année à venir, et j'ai collé le tableau original et annoté sur la porte du réfrigérateur en guise d'aide-mémoire. Une façon de réussir, ai-je conclu, consistait à commencer à être plus compatissante envers moi-même. Je ne connais pas une seule femme qui ne se soit mise dans l'embarras en ayant fait preuve de trop de compassion ; cette force finit presque toujours par causer notre perte. Nous ouvrons les bras et notre cœur, et prenons sur nos épaules les préoccupations et les problèmes des autres jusqu'à ce que nous ne puissions plus rien supporter, encore moins nous-mêmes, et nous découvrons bientôt que nous dérivons à toute vitesse en direction du vide.

Mon auteure préférée, Clarissa Pinkola Estés, appelle cette attitude le complexe du « dévouement à tous ». Elle écrit dans *Femmes qui courent avec les loups* :

> *« Les femmes ont tendance à prendre le temps nécessaire pour s'occuper des problèmes de santé physique, surtout celle des autres, mais elles négligent de le faire pour entretenir la relation avec leur âme propre. Elles ne comprennent pas que l'âme est la génératrice de leur énergie, et que la relation avec elle est un instrument d'une importance extrême qui a besoin d'être mis à l'abri, nettoyé, huilé, réparé. Autrement, cette relation va s'abîmer, comme une voiture, et ralentir la vie quotidienne de la femme, nécessiter une énorme énergie dans les tâches les plus simples, avant de la lâcher complètement loin de la ville et du moindre téléphone. Le chemin du retour est alors très très long.[2] »*

Grâce à sa description des femmes, on comprend précisément pourquoi, après toute une vie passée à s'occuper des autres, nous développons cette douleur subtile. Elle naît de l'oubli de soi. Tout au fond de nous, nous savons que notre voix n'est pas entendue et que nous sommes le seul auditoire dont elle a vraiment besoin. Il nous faut apprendre à rediriger notre compassion et à nous en envelopper.

Des centaines de femmes ont assisté à mes ateliers d'un week-end au bord de la mer parce qu'elles ont enfin décidé de faire partie de leur propre vie. Dès notre séance d'ouverture, elles font part aux autres participantes des raisons pour lesquelles elles sont là. Cer-

---

2. Clarissa Pinkola Estés, *Femmes qui courent avec les loups*, Le Livre de poche, Éditions Grasset & Fasquelle, 1996, pp. 688-689.

taines parlent d'événements majeurs qui ont pratiquement fait basculer leur vie – un mari infidèle, la mort d'un enfant, d'un parent ou d'une grande amie, un déménagement dans une autre ville, un congédiement, un divorce –, mais la plupart parlent tout simplement d'un sentiment latent d'insatisfaction. Elles parlent de leur besoin de se détendre, de se ressourcer et de se régénérer. Elles se cherchent un but, elles veulent rêver de nouveau, être présentes dans leur vie, retrouver leur confiance en elles.

Certaines veulent tout simplement s'amuser, échapper à une routine fastidieuse, sortir de l'ornière que constitue leur quotidien. Quelles que soient leurs raisons, lorsqu'elles ont terminé de les exposer, je leur fais faire l'exercice du calendrier et leur sort leur apparaît alors clairement. Comme le mien, leur calendrier est couvert de carrés, et elles ne peuvent plus nier que derrière leur douleur se cache un moi perdu. Qu'elles en aient eu conscience ou non aupa-ravant, elles réalisent alors que pour apaiser cette douleur, elles doivent découvrir qui elles sont et ce qu'elles veulent devenir.

Un calendrier trop chargé

À quoi ressemble votre calendrier? Avez-vous des souvenirs saisissants à noter ou, comme beaucoup d'entre nous, votre esprit demeure-t-il désespérément vide? Il est important de se rappeler que le but de cet exercice est justement de réaliser à quel point nous avons peu de souvenirs (ce qui équivaut à ne pas être présente dans notre vie quotidienne), et à quel point nous en faisons peu pour nous-mêmes.

Consacrez les 30 prochaines minutes à vous rappeler l'année qui vient de s'écouler. Commencez par où bon vous semble. Choi-sissez un mois et, sans consulter votre agenda, essayez de vous rappeler les activités et les événements qui l'ont ponctué et qui avaient trait à vous-même, à votre carrière et à votre famille. Pour ce faire, prenez une feuille de papier ou votre journal intime et faites l'exercice pour chacun des mois de l'année. Commencez par le mois de janvier, ensuite février, mars, avril, mai, juin, juillet, août, septembre, octobre, novembre et décembre. Notez pour chacun

d'eux les événements marquants qui vous concernaient personnellement, professionnellement et du point de vue familial.

Après avoir noté le plus grand nombre d'événements possible,
tracez un CARRÉ autour de ce qui était épuisant, un TRIANGLE
autour de ce qui était vivifiant, un CŒUR autour de ce que vous
avez fait avec votre conjoint ou un membre de votre famille, et un
CERCLE autour de ce que vous avez fait uniquement pour vous.
Maintenant, répondez aux questions qui suivent toujours sur votre
feuille blanche ou dans votre journal intime :

- Qu'éprouvez-vous lorsque vous songez à l'année qui vient
  de s'écouler ?
- Qu'est-ce qui vous a procuré du plaisir ? Comment et pourquoi ?
- Quels événements ont été une source de douleur ? Pourquoi ?
- La majorité de ces événements étaient-ils contrôlés par vous-
  même ou par des forces extérieures ?

Examinez votre calendrier. Réalisez que votre but est de faire
partie d'une vie qui n'est pas uniquement gouvernée par les rôles que
vous jouez et les choses que vous faites, mais aussi par le plaisir.

Le contrôle du calendrier

Une femme du Maryland qui a récemment participé à l'un de
mes ateliers a su résumer parfaitement la valeur de cet exercice :
« L'exercice du calendrier m'a choquée. J'étais incapable de me rappeler les événements qui s'étaient produits pendant la dernière année,
et pourtant j'avais été constamment occupée. Maintenant, je suis
consciente de la vitesse avec laquelle passe la vie, et je prends encore
plus conscience de ce que je fais et de la façon dont je vis. Je me suis
acheté un paquet de petites étoiles autocollantes. Chaque fois que je
fais quelque chose d'agréable ou uniquement pour moi-même, j'en
colle une sur mon calendrier. »

La valeur de l'exercice du calendrier n'est pas toujours immédiatement apparente. Lors de l'un de mes premiers ateliers, une femme avait amené avec elle une amie réticente. Cette dernière croyait que le week-end et mon message traitaient surtout des relations, et en ce qui la concernait, son mariage la rendait très heureuse. Elle a rapidement fait la première partie de l'exercice, se rappelant aisément tous les événements de l'année qui venait de s'écouler. Mais lorsqu'elle a commencé à annoter son calendrier, elle a ralenti et j'ai remarqué qu'elle courbait l'échine. J'ai jeté un coup d'œil sur sa feuille et j'ai vu un grand nombre de carrés et de triangles, souvent tracés autour du même événement. Il y avait peu de cœurs et encore moins de cercles. Lorsque toutes les participantes ont terminé l'exercice, elle a été la première à lever la main. Elle a pratiquement crié au groupe :

«*Je n'arrive pas à y croire. Je me sens ridicule et pratiquement comme une traîtresse. J'ai toujours pensé que, parce que mon mari et moi participions à des événements ensemble, ces soirées avaient une certaine valeur. Mais le simple fait de m'arrêter et de m'obliger à me rappeler ce que j'ai fait et ce que j'ai ressenti lors de chacun d'eux – était-ce vivifiant ou épuisant ? Était-ce pour moi ? – m'a permis de réaliser à quel point je fais peu de choses uniquement parce que j'en ai envie. Je n'ai que deux cercles sur mon calendrier, le week-end que j'ai passé avec ma sœur à planifier son nouveau jardin et le temps que je passe ici aujourd'hui. J'ai soudain l'impression que je ne fais pas partie de ma propre vie.*»

Peu importe comment vous vous sentez au moment où vous commencez l'exercice du calendrier, celui-ci devrait devenir un catalyseur de changement. Il agit comme un réveil chez la plupart des femmes qui sentent un vide en elles sans arriver à en déterminer la cause.

Étant donné que je suis devenue extrêmement consciente du temps – j'y prête attention, je collectionne les moments, je vis véritablement l'instant présent –, mon calendrier actuel (comparé à celui d'il y a neuf ans) est bien équilibré avec son lot de moments épuisants et vivifiants, et il comprend principalement des événements touchant mon emploi du temps personnel. Il est intéressant de souligner que les femmes qui ont le plus de cercles sur leur calendrier parlent de prendre le temps de faire un voyage spécial, d'organiser des retrouvailles avec de vieilles amies, de mettre leur corps et leur âme au défi en s'entraînant pour un marathon ou une expédition en plein air.

En fait, il faut que nous apprenions à accepter de nous gâter. De petites activités, comme nous offrir un massage pendant la période des fêtes, prendre un bain moussant au lieu de laver la vaisselle, ou nous installer au lit avec une pile de magazines au milieu de l'après-midi, sont d'excellentes premières étapes. Le cas échéant, vous devrez vous poser quelques questions difficiles à propos de vos buts, de vos besoins, du tort qui vous a été fait et de ce qui pourrait vous apporter davantage de joie. Mais pour le moment, réservez-vous une journée de la semaine prochaine.

Une vie bien remplie exige qu'on la cultive, et la vie de la majorité des femmes exige un moment de repos pour restaurer l'âme, le corps et l'esprit. Nous devons apprendre à goûter chacune de nos saisons (tout comme le doit une jeune plante) si nous voulons porter des fruits frais. Que vous ayez 30, 40, 50 ou 60 ans, ce moment est maintenant. Le pas le plus difficile à faire est toujours le premier. Il n'est pas nécessaire de faire de grandes enjambées, mais vous devez allez de l'avant et ouvrir la porte.

RÉSUMÉ DE FIN DE CHAPITRE

➻ Admettez que vous êtes perdue ;
➻ Reconnaissez et explorez votre douleur ;
➻ Examinez votre calendrier avec honnêteté ;
➻ Gâtez-vous.

«*MAIS*» VERSUS «*ET*»

Ce printemps, juste après être rentrée d'une tournée de promotion pendant laquelle j'avais sillonné le pays en l'espace de trois semaines, une amie très chère a entendu l'épuisement dans ma voix et m'a amicalement dit que ce dont j'avais réellement besoin, c'était d'une semaine de vacances. J'ai ri et j'ai dit : «Oui, mais j'ai une séance de dédicaces mercredi soir. » Elle a tenté de me donner d'autres suggestions pour m'aider à me détendre un peu, comme d'arriver chez moi avec le souper et une bouteille de vin. Mais rien à faire. Je ne pensais qu'à cette séance de dédicaces et au fait que cela m'empêchait de prendre une semaine de congé. J'étais coincée dans le «je veux» et incapable d'entrer dans le «je suis». J'étais enlisée dans le sempiternel «*mais*».

Que serait-il arrivé si j'avais dit à mon amie : «Oui, j'ai besoin d'une semaine de repos. Merci de te soucier de moi. Mais j'ai également une séance de dédicaces mercredi soir»? Première-ment, le ton de la conversation aurait changé et serait devenu plus positif. Mon amie ne se serait pas sentie rejetée, et je me serais sentie mieux uniquement parce que j'aurais été gentille. Deuxièmement, j'aurais vu que j'avais le choix. Je pouvais soit trouver une façon de voir la séance de dédicaces comme faisant partie de ma semaine de vacances, ou je pouvais choisir de ne pas y aller. Oui, il n'y a pas assez de temps, et il n'y en aura jamais assez. C'était à moi de trouver une façon de gérer cette semaine.

Combien de fois vous est-il arrivé de demander conseil à une amie et puis, avant même qu'elle vous ait donné son avis, de lui couper la parole en disant : «Mais ce n'est pas vraiment possible parce que...» ou «mais je ne peux pas m'imaginer en train de faire ça»? Nous pensons que nous voulons des conseils et que nous sommes curieuses de connaître l'avis des autres, mais notre réaction révèle que nous ne sommes pas vraiment prêtes à bouger ou à tenter de voir notre problème sous un autre angle.

Je suppose qu'il est humain de vouloir prendre nos propres décisions et de conserver le pouvoir de contrôler notre destinée. Toutefois, lorsque nous nous sentons immobilisées, nous avons tendance à nous tourner vers les autres pour qu'ils nous aident à nous sortir de l'embarras. Le secret consiste à lâcher suffisamment prise pour être en mesure d'envisager de nouvelles options. J'ai de nombreuses amies qui m'ont demandé mon avis dans le cadre d'une sorte d'exercice – elles aiment interroger leur entourage et recueillir des opinions quant aux avantages et aux inconvénients d'une décision qu'elles finiront par prendre seules. Lorsque je leur donne mon avis et qu'elles critiquent mon point de vue ou me lancent le mot « mais », je sais à coup sûr qu'elles en seront toujours au même point mort dans quelque temps.

Je crois que l'une des raisons pour lesquelles nous prononçons le mot « mais » aussi spontanément – pourquoi il est tellement plus facile de s'attarder à ce que nous voulons plutôt que de nous demander où nous sommes – c'est que nous n'avons pas alors à faire un geste quelconque. Nous n'avons pas à nous avancer. Et comment pourrions-nous le faire facilement quand nous avons oublié comment parler de nos besoins et de nos désirs ?

Le mot « mais » est un mot qui immobilise. Inévitablement, chaque fois que nous le prononçons, nous tentons de ralentir un processus, de maintenir le *statu quo* et, sur le moment, de ne rien changer à la situation dans laquelle nous nous trouvons. Cependant, lorsque nous substituons le « et » au « mais », nous faisons un pas vers une nouvelle ouverture d'esprit et de nouvelles possibilités. Le mot « et » est inclusif, il favorise l'avancement, et il indique qu'une personne est prête à explorer des idées plutôt qu'à interrompre l'action, à favoriser le changement plutôt qu'à demeurer figée dans ce qui lui est familier.

Après ma conversation avec mon amie, j'ai étudié mon attitude, et j'ai découvert qu'en changeant ma façon de m'exprimer, et de penser, je pouvais être plus heureuse. Dans ce cas précis, j'ai choisi de me concentrer non pas sur le fait que je ne pouvais pas m'accorder toute une semaine de vacances et rester au lit, mais plutôt sur le fait que j'avais une vie riche et bien remplie. Les gens achetaient mes livres et avaient envie de faire ma connaissance. J'ai transformé l'obstacle en compliment et puis j'ai examiné mon agenda pour voir quelles autres activités je pouvais éliminer ou reporter.

La prochaine fois que vous chercherez à obtenir des conseils, ou que vous prendrez part à une conversation, prêtez attention au nombre de « mais » qui s'installent dans cette interaction. Prenez note mentalement du moment où vous utilisez ce mot et de la façon dont il vous empêche d'aller de l'avant avec une pensée, une idée ou une action.

Après un certain temps, essayez d'éliminer complètement le mot « mais » de votre vocabulaire et voyez en quoi cela influera sur votre vie quotidienne. Lorsque nous sommes coincées, faire un choix devient menaçant, car cela équivaut à provoquer le changement. Lorsque vous accepterez que vous avez le pouvoir de choisir, vous aurez mis en branle le processus qui fera de vous une femme plus ouverte et plus libre.

LE POUVOIR DE L'ÉTOILE

Un moyen rapide et facile de commencer à vous assurer que vous vous réservez du temps pour vous seule est d'acheter un paquet d'étoiles autocollantes que vous conserverez près de votre calendrier. Chaque fois que vous réussissez à garder un moment pour vous, collez une étoile sur la case du jour y correspondant. Et bientôt, votre calendrier scintillera.

C'est une de mes amies, qui trouvait toujours impossible de penser à elle en premier, qui a pensé à cette méthode toute simple. Elle adorait regarder ces petites étoiles brillantes et s'efforçait consciemment d'en coller toujours davantage sur son calendrier. De plus, lorsque les membres de sa famille lui ont demandé pourquoi son calendrier était couvert d'étoiles, elle leur a expliqué qu'elles représentaient toutes ces fois où maman avait été bonne avec maman.

Cela a paru sensé à tous, car cela éloignait la menace que laissaient poindre ces moments que maman s'accordait à elle-même. Après un certain temps, lorsque maman allait chez la manucure, ou faire une longue randonnée à bicyclette, ou passait un après-midi avec ses amies, les membres de sa famille lui rappelaient de se récompenser avec une étoile.

Le pouvoir de l'étoile est le moyen le plus facile et le plus rapide d'amorcer le processus de l'autonomie.

VENDREDI

L'importance
de la retraite

L'individualité commence dans l'isolement

« La femme doit grandir par elle-même. Elle doit trouver seule son véritable centre. Elle doit devenir un tout. »

ANNE MORROW LINDBERGH

Un argument en faveur de la solitude

Neuf années se sont écoulées depuis mon séjour au bord de la mer. Depuis, il y a eu les allées et les venues des membres de ma famille, j'ai vu mes fils devenir pères, un mari en transition, une mère qui a emménagé près de chez nous à cause de sa santé chancelante, et une carrière qui comptait toujours plus de dates de tombée. Beaucoup de choses avaient changé, mais une passion demeurait : mon besoin de me retirer et de chercher la solitude chaque jour afin de rester présente, concentrée et consciente de mon esprit indviduel.

Lors des allocutions que je prononce devant des femmes dans tout le pays, je m'efforce de les aider à comprendre le bien-fondé de la solitude et de la retraite. Car c'est dans la solitude que nous trouvons la capacité d'écouter notre propre voix, de prendre possession de notre vie et de nos idées, et d'apaiser la douleur. Mais comment donc une femme qui a des bouts de papier collés partout dans les marges de son calendrier peut-elle trouver la solitude et la tranquillité ? Il n'y a qu'un seul moyen. Elle doit s'isoler. Elle doit oser s'éloigner de ses responsabilités, de ses activités et de sa routine, si elle veut goûter le moment présent et trouver la paix intérieure.

Nous avons déjà parlé de notre emploi du temps chargé, de l'attention que nous prêtons aux autres, et de la douleur que nous ressentons toutes, mais il y a autre chose dont il faut tenir compte, et c'est de notre incapacité à nous accorder suffisamment de temps et d'espace pour faire honneur aux transitions que la vie nous distribue. En examinant votre calendrier de l'an dernier, combien parmi les événements que vous y avez inscrits ont trait à une transition majeure, c'est-à-dire à un moment où quelque chose s'est produit et a changé la perception que vous avez de vous-même et de la place que vous occupez ?

Plus important encore, après l'une ou l'autre de ces transitions, vous êtes-vous réservé du temps pour comprendre ce qui s'était passé et ce que vous avez ressenti ? Ou êtes-vous seulement allée de l'avant, le téléphone portable dans une main et vos clés de voiture dans l'autre ? J'ai pu constater que les changements d'ordre personnel de toutes sortes, grands ou petits, peuvent mettre notre corps et notre esprit en état de choc. Si l'on ne s'en occupe pas, cet état de choc produit des racines qui s'enroulent autour de notre âme et nous plongent inévitablement dans la douleur.

En ce qui me concerne, une série d'événements a encombré mon esprit et m'a poussée à faire mes bagages et à m'enfuir au cap Cod. Le déménagement de mon mari a certainement été un catalyseur, tout comme le fait que mon père venait de mourir subitement, que mes deux fils avaient quitté la maison, que ma meilleure amie était allée s'établir dans le Maine, et qu'une collaboratrice avec qui j'avais travaillé à l'écriture de nombreux livres pour enfants avait décidé de mettre fin à notre association.

Le schéma de ma vie avait changé de façon irrévocable. Rien n'était plus pareil. Je vivais en sol étranger, et je savais instinctivement que ce n'était qu'en décortiquant la détresse qui accompagne toujours le changement que je retrouverais mon équilibre. Plus nous connaissons de changements dans notre vie, plus nous devons faire face à de nombreuses transitions et à la douleur. Les deuils, grands et petits, que nous connaissons laissent tous des blessures qui doivent être guéries, et qui pourra jamais dire combien de temps cela prendra ?

Lorsque mon mari et moi vivions en Afrique de l'Est, j'ai trouvé fascinant que nos amis africains quittent la ville lorsqu'un de leurs proches mourait. Il était inutile de les interroger sur la date de leur retour. Ils revenaient lorsque leur chagrin s'était estompé et que leur deuil était terminé. Sir Henry Taylor songeait lui aussi à ce cheminement lorsqu'il a écrit : « Celui qui n'a pas le temps de pleurer n'a pas le temps de guérir. » (Tirée de la pièce *Philip Van Artevelde* de Sir Henry Taylor, partie 1, acte 1, scène 5.) Et pourtant, notre culture nous dit de couper les liens, il faut remplacer le vieux par du neuf le plus rapidement possible, inutile de se lamenter sur le pain perdu – ce qui est fait est fait. Quelle philosophie merveilleusement efficace et productive !

Récemment, on m'a demandé de prononcer une allocution dans le cadre d'un congrès réunissant des infirmières spécialisées en oncologie. J'ai pensé que si des femmes connaissaient la notion de transition, c'était bien elles. J'ai réfléchi à ce à quoi devaient ressembler leurs journées passées à donner des soins à des patients cancéreux – certains jouissant d'une rémission, d'autres ayant une rechute, et de nombreux autres se trouvant à l'article de la mort. Elles faisaient certainement un travail de saintes. J'ai suggéré à ces femmes très spéciales de s'isoler dans un endroit calme après chaque transition dont elles étaient les témoins au lieu de passer rapidement d'une crise à l'autre, de se retirer dans la lumière du jour ou la pénombre de la nuit.

Là, oubliant leurs responsabilités et leurs tâches, elles devaient s'arrêter une minute ou deux, respirer, et réfléchir à ce qui venait de se produire, au rôle qu'elles avaient joué dans l'événement, et à ce qu'elles avaient éprouvé. Cela m'a fait chaud au cœur lorsque, après mon allocution, plusieurs infirmières sont venues m'exposer leur plan : elles allaient se réunir dans la salle des infirmières au début de leur quart de travail, former un cercle en se tenant par la main, respirer et se transmettre de l'énergie l'une à l'autre afin de se préparer au tumulte que leur réservait la journée qui commençait.

Lorsque j'ai raconté cette anecdote à une amie, elle s'est redressée sur sa chaise et a dit : « Elles ont raison. Une pause, c'est ce que nous oublions de faire. Comment pouvons-nous faire face à quoi que ce soit si nous ne prenons pas le temps de nous arrêter au moins un instant ? »

La retraite est une forme de pause, c'est un moment passé dans la solitude, un espace précieux dans lequel nous pouvons voir notre monde sous un jour différent, reconnaître notre douleur, glorifier nos talents et honorer notre esprit sans nous soucier du regard des autres ou des tâches qu'il nous reste à accomplir. En ce qui me concerne, la retraite est un moment où je peux supporter l'incertitude ; trouver et non chercher ; goûter ce qui arrive par hasard ; guérir mon corps et mon esprit ; attendre patiemment et laisser mes interrogations vivre en moi.

C'est un moment fait pour découvrir le silence, cet ami que nous avons tenu à distance ; un moment pour s'ouvrir à la grandeur d'une journée ; un moment pour vivre de l'autre côté, dans un autre monde où l'esprit, la pensée profonde et un nouvel émerveillement peuvent fleurir. Par-dessus tout, la retraite est un moment pour honorer tout ce que nous avons vécu et goûter la façon dont cela a touché notre cœur.

Le dictionnaire définit le mot « retraite » comme l'« action de s'éloigner… de se retirer d'une fonction » vers un lieu qui offre la paix, l'intimité et la sécurité. Mais je préfère la version de Jennifer Louden qui définit la retraite comme « un acte d'amour de soi, un saut radical dans l'univers béni de l'individualité. »

Devenez une érudite du moi et de l'âme

Les femmes qui me rejoignent sur les plages du cap Cod pour une retraite d'un week-end le font parce que leur instinct leur a dit de se réveiller, de s'évader de leur emploi du temps surchargé et d'admettre, comme le dit Robert Frost : « qu'elles sont suffisamment perdues pour se trouver ». Bref, elles sont prêtes à se départir d'une vie qui leur a été imposée et à en embrasser une autre qui sera basée sur leur propre planification et une exécution de leur cru. S'occuper des autres en négligeant leurs propres besoins ne leur apporte plus aucune satisfaction. Elles sont des héroïnes qui ont compris que, pour se trouver elles-mêmes, pour renouer avec leurs rêves et leurs désirs endormis, elles doivent d'abord s'éloigner du bruyant tourbillon de leur quotidien et chercher la solitude.

Le vendredi, lorsque j'accueille ces femmes, je me fais un devoir de les féliciter d'avoir tout simplement pris la décision de s'isoler. Beaucoup ont laissé derrière elles des gens qui les qualifient d'égoïstes ; d'autres ont laissé de jeunes enfants à une gardienne ou à un mari perplexe. Elles ont quitté une voiture qui a besoin de nouveaux freins, une pile de factures impayées, un réfrigérateur vide, un jardin envahi par les mauvaises herbes. Néanmoins, elles arrivent remplies de détermination et de grandes attentes. Elles ont le sentiment de s'être inscrites à un programme universitaire conçu uniquement pour elles. Elles sont là pour devenir des érudites du moi et de l'âme – pour étudier leurs forces et leurs faiblesses, leurs erreurs et leurs triomphes. Il est évident qu'il faut du courage et une grande détermination pour s'écarter de la routine familière et de sa famille, pour quelque temps que ce soit. Comme me l'a écrit l'une de ces femmes :

> « *Un grand nombre de changements dans ma vie m'ont donné envie de connaître le confort, le familier et la sécurité. Je croyais que seuls des lieux, des gens et des actions répétitives monotones qui ne laissaient pas de place à l'inconnu pouvaient m'apporter cette sécurité et l'équilibre mental. Mais je ne me rendais pas compte que cette détermination à m'accrocher au familier drainait l'essence même de ma vie. Graduellement, j'ai commencé à penser que j'avais peut-être besoin de quitter l'univers du prévisible, et que le moyen d'insuffler une nouvelle vie dans mon âme négligée serait peut-être d'abandonner mes rôles de toujours et de créer un espace qui me permettrait de renouer avec moi-même.*

« *C'est à cette époque que j'ai lu* A Year By the Sea *et que j'ai décidé de participer à l'une de vos retraites d'un week-end. J'avais très peur de m'éloigner de mes routines, car elles m'apportent un sentiment de sécurité. J'ai trouvé particulièrement difficile d'examiner les transitions que j'avais connues parce que, ai-je réalisé, j'avais peur de commencer à m'apitoyer sur mon sort. Mais une petite voix à l'intérieur de moi a crié : "Sauve-moi !" et je l'ai écoutée.* »

Il y a toujours un risque lorsqu'on fait quelque chose de nouveau et que l'on rue dans les brancards, mais pour nous épanouir, nous devons prendre le temps de cultiver notre moi profond et de puiser là où tant de ressources ont été enfouies. Pour qu'un tout nouveau sens à notre vie apparaisse, nous devons oser déambuler le long des frontières imprévisibles et indéfinies de notre vie et, pendant un moment du moins, être seules.

Êtes-vous prête à explorer tout ce qui est resté inachevé dans votre vie et votre âme ? Une bonne façon de commencer consiste à examiner comment votre vie vous a conduit dans ce lieu de recherche en évaluant l'impact que les transitions ont eu sur votre psyché. En répondant aux questions qui suivent, vous commencerez à comprendre les raisons qui vous ont poussée à tenter de trouver davantage de temps pour vous.

- **Avez-vous fait le deuil d'une relation au cours des deux dernières années ?** *Votre conjoint est-il décédé, une amie a-t-elle déménagé, un enfant a-t-il quitté la maison ? Avez-vous été tenue à l'écart par un proche ? Votre animal familier est-il mort ou l'un de vos enfants s'est-il marié ?*

- **Votre univers familial a-t-il changé ?** *Votre conjoint a-t-il pris sa retraite ou a-t-il été congédié pour se retrouver à la maison à temps plein ? Quelqu'un a-t-il été malade et eu besoin de vos soins ? Avez-vous déménagé, réaménagé votre intérieur ou vous êtes-vous remariée ?*

- **Y a-t-il eu des changements d'ordre personnel dans votre vie ?** *Une maladie, une réussite ou un échec, un régime amaigrissant ou un nouveau programme d'exercices, des troubles du sommeil, des difficultés financières ?*[3]

N'importe lequel de ces changements peut perturber l'équilibre de votre existence. Donnez-vous un point pour chaque transition. Un pointage de 4 ou plus, jumelé à un calendrier couvert de carrés, suffit à vous indiquer qu'il est temps de participer à une retraite.

Lorsque vous êtes prête à envisager une première retraite, vous devez accepter de prendre le temps de lâcher prise, de vous détacher du passé et de vous déconnecter des préoccupations du présent et de votre emploi du temps. Ceci exigera une planification soignée, mais les récompenses dureront toute une vie.

La retraite d'une femme

Il y a quelques mois, Denise, une femme qui voulait se retirer pendant plus d'un week-end est venue s'installer dans ma petite auberge. Elle avait toujours vécu cachée derrière un masque, jamais certaine d'être à la hauteur des normes que la société dicte pour la femme, victime de son propre jugement impitoyable et de son insécurité. Sa première retraite d'un week-end lui avait donné un aperçu de ce qu'est vivre sans masque et prendre plaisir à être tout simplement soi-même. Mais de retour à la maison, elle avait compris qu'elle n'avait touché que la pointe de l'iceberg.

Peut-être que, tout au fond de son cœur, elle avait l'intime conviction que le fait de se retirer pendant un certain temps aurait les mêmes avantages que laisser une parcelle de terre en jachère afin d'en revitaliser le sol. Elle sentait le besoin de procéder à une restructuration naturelle de sa vie, de donner l'occasion à son corps et à son esprit de trouver leur propre voie pour une fois.

---

3. William Bridges, *Transitions de vie : comment s'adapter aux tournants de notre existence*, Paris, Interéditions, 2006.

Elle a soigneusement choisi le moment, sachant que son mari serait en voyage d'affaires pendant la moitié de son séjour de six semaines et qu'elle aurait terminé sa thèse en vue de l'obtention d'une maîtrise en travail social. Cette planification lui a permis de minimiser les conflits avec son emploi du temps et de se sentir à l'aise relativement à son départ.

Elle est arrivée avec des livres, un appareil photo, une tapisserie sur canevas et son matériel d'exercice. Au début, elle a eu le sentiment d'être en vacances et, par conséquent, elle a éprouvé de la difficulté à supporter le poids de la culpabilité que lui inspirait son «laisser-aller». Mon invitée a eu plusieurs obstacles personnels à surmonter pendant qu'elle tentait de se débarrasser d'un surplus d'anxiété et de rage, mais l'un de ses combats les plus manifestes avait trait à ce temps libre, exempt d'activités, qu'elle passait seule.

«Laissez-vous devenir vous-même», lui ai-je dit alors qu'elle se demandait comment rester calme. «Trouvez une nouvelle forêt ou une nouvelle plage à explorer, un lieu dépourvu de repères familiers ou de gens qui vous demandent de les guider.» Et bientôt, j'ai constaté qu'elle partait chaque jour faire une promenade sur la plage et qu'elle passait ensuite du temps seule dans sa maisonnette. Et puis elle allait faire une balade à bicyclette ou en voiture à la découverte de lieux inconnus. Elle apprenait l'art de la lenteur tout en découvrant ses propres lieux de prédilection. Elle devenait l'exemple vivant de l'affirmation de Joan Erikson: «Nous ne recevons pas la sagesse, nous la découvrons après un voyage dans des étendues sauvages.»

Denise a persévéré, mettant son courage à l'épreuve en faisant de la randonnée dans les dunes, s'aventurant sur des jetées périlleuses ou cherchant, à plusieurs reprises, à trouver un abri lorsque se levait le vent du nord-est, avec seulement quelques bougies et aucun secours en vue. Alors qu'elle devenait de plus en plus à l'aise dans les bois et sur la plage, on pouvait voir poindre une lueur nouvelle dans les fissures de son armure. Son corps se détendait, les rides de son visage s'estompaient, elle semblait marcher avec davantage de détermination et de présence, et la véranda a bientôt été encombrée de nombreux cadeaux de la mer – coquillages, cailloux, flotteurs et bois flotté.

Elle a également franchi une autre étape importante dans son engagement à modifier le rythme de ses journées et à abandonner de vieilles habitudes. « J'avais besoin de rompre avec le passé, et l'un des moyens que j'ai utilisés est le jeûne technologique, a-t-elle dit. Pendant toute ma retraite, j'ai évité tout contact avec la télévision, la radio, le téléphone portable et le courrier électronique. Je suis demeurée concentrée sur ce que je faisais et sur ce que j'éprouvais. » Je suis certaine que ce changement radical a été difficile pour elle ; une ou deux fois, mais pas plus, je l'ai surprise à écouter des bribes de musique qui s'échappaient de mes fenêtres ouvertes. Mais elle a ainsi atteint un degré de détachement du monde réel qui l'a rendue plus sereine qu'elle ne l'avait jamais été.

Ainsi, ses repas sont devenus plus rituels que fonctionnels. Manger était devenu une chose qu'elle faisait sur le pouce, de temps en temps à table avec son mari, et souvent devant la télé pendant le bulletin d'informations. Maintenant, elle dressait la table pour une personne, allumait plusieurs bougies et mangeait du poisson frais et des légumes biologiques achetés chez un maraîcher de la région.

Alors qu'elle vidait son esprit et son âme, qu'elle mettait son corps à contribution, des affirmations lui venaient de partout. Lors de l'une de ses incursions au bout d'une jetée, elle a croisé un pêcheur qui s'est exclamé en la voyant : « Eh bien, voici une brave petite dame ! » Un autre jour, elle est tombée par hasard sur une barque échouée, sur la proue de laquelle avait été peint le mot ESPOIR. S'y assoyant, elle avait senti sur-le-champ qu'elle était effectivement remplie d'un espoir tout nouveau.

Pendant son séjour, une femme prénommée Linda, qui avait déjà participé à une retraite, est arrivée à l'improviste. Nous avons partagé un sandwich sur la plage et comparé nos notes sur les raisons pour lesquelles nous avions toutes besoin d'adopter des mesures draconiennes afin de prendre du recul et de remodeler notre vie.

« Je croyais que mon moi profond changerait automatiquement parce que je changeais et que la vie autour de moi changeait : les enfants qui quittent la maison, mon mari qui prend sa retraite, la ménopause, et même une maladie débilitante, a dit Linda. Mais cela n'a pas été le cas, a-t-elle ajouté en se moquant de sa naïveté. Après ma première retraite au bord de la mer, je suis rentrée à la maison en croyant que je me sentais différente et que j'avais suffisamment changé.

« Mais j'ai réalisé que de nombreux autres week-ends tels que celui-ci seraient nécessaires pour que je réussisse à vraiment changer les rôles que je jouais et à rompre avec le passé. Nous, les femmes, ne pouvons jamais vraiment annoncer que nous nous retirons, n'est-ce pas ?, a-t-elle demandé, l'air perplexe. Il semble que nos rôles sont si bien établis qu'ils n'évoluent pas beaucoup, du moins tant que nous ne comprenons pas que la métamorphose exige du travail ! Et jamais je n'aurais pu entreprendre cette démarche dans le cadre de ma vie quotidienne. J'avais besoin de m'éloigner et d'être seule.

– La vie nous semble parée d'infinies possibilités pendant une retraite », ai-je dit, émerveillée, et nous avons hoché la tête à l'unisson. « Loin des règles et des obligations qui régissent habituellement notre quotidien, nous avons vraiment beaucoup d'espace. Sans compter que nous pouvons nous habiller de façon décontractée ou ne pas nous habiller du tout ! »

« Mais il a fallu que je participe à plusieurs retraites pour vraiment m'épanouir, a poursuivi Linda. L'avenir d'une personne ne lui est jamais révélé d'un seul coup. J'ai prolongé chaque fois mon séjour, me libérant d'un rôle ou d'un autre, jusqu'à ce que je me sente en paix avec moi-même et libre ! Ce n'est pas plus compliqué que de sortir de l'ordinaire ; c'est se trouver mentalement dans un lieu où l'on peut capter les directives de son propre esprit. »

Apprivoisez la retraite, ne brûlez pas les étapes

On peut apprivoiser la retraite en créant des rituels, en se réservant graduellement des moments de solitude et de calme. Il n'est pas nécessaire de s'isoler pendant tout un week-end pour bénéficier des avantages de la retraite. Ne brûlez pas les étapes, commencez par trouver chaque jour de brefs moments où vous pourrez être tranquille et seule. Même si mon départ, comme il a été décrit dans *A Year by the Sea*, semble avoir été un geste inconsidéré, la vérité est que ce projet couvait déjà dans mon esprit à l'époque où mes fils étudiaient à l'école secondaire.

Depuis longtemps, avant même que j'aie le courage de m'« enfuir », je m'offrais des miniretraites. L'une de mes premières cachettes a été l'église catholique de mon quartier, le seul établissement dont les portes n'étaient jamais verrouillées. Je pénétrais dans la pénombre de ce sanctuaire, je m'assoyais sur un banc à l'arrière et je méditais sur ma confusion et ma douleur. Comme l'a dit Thomas Merton : « Nous qui élaborons des plans, il convient que chaque jour nous trouvions un moment pour les oublier et agir comme s'ils n'existaient pas. Nous qui devons parler, il convient que chaque jour nous nous plongions dans le silence. »

Petit à petit, je me réservais davantage de temps pour moi seule, à l'extérieur de la ville, en pleine nature, « en un lieu qui exige que l'on soit réceptif au flux de la vie », comme l'a dit Lawrence Kushner, « un lieu qui exige que l'on soit honnête avec soi-même, peu importe ce qu'il nous en coûte en matière d'anxiété personnelle. » En ce qui me concerne, ce lieu était un parc provincial situé sur les rives de la rivière Hudson. Au début, j'ai arpenté ses nombreux sentiers et j'ai goûté aux couleurs de l'automne. Et puis, l'hiver venu, je me suis avancée plus profondément dans la forêt avec mes skis de fond, là où semblaient ne s'aventurer que de petits animaux.

Au printemps, j'ai pique-niqué sous les arbres dont les bourgeons libéraient une verdure toute neuve. Ces heures passées dans l'isolement et le silence m'ont apporté la paix de l'esprit, et j'ai bientôt eu envie de prolonger ces moments d'évasion. Il est rapidement devenu manifeste que j'avais développé une relation avec la solitude. La tranquillité et le silence que je savourais pendant ces heures que je passais seule étaient bien plus précieux qu'une consultation chez le psychiatre, un atelier ou une conférence sur l'individualité.

« Mais, dites-vous, je manque de temps ! » Non-sens, le temps est toujours là. Plus précisément, une journée est composée de

86 400 secondes, et chacune de ces secondes n'attend qu'à être utilisée, qu'à être vécue. Peut-être est-ce parce que nous ne pouvons ni
voir ni toucher le temps que nous n'apprécions pas à sa juste valeur
ce don qui nous est fait. Nous ne comprenons pas que si nous
n'utilisons pas de notre mieux le temps qui nous est alloué, il se peut
que, une fois de plus, nous nous retrouvions avec la douleur. Nous
avons toutes suffisamment de temps; nous en faisons tout simplement mauvais usage.

Si je me suis enfuie au cap Cod, c'est principalement parce que
ma vie ne m'appartenait pas, ce qui revient à dire que je n'exerçais
aucun contrôle sur le temps qui était le mien – que les secondes, les
minutes, les heures et les après-midi entiers étaient consacrés aux
autres. Je traversais ces moments tout en ayant le sentiment de ne
pas les vivre. C'est peut-être pour cette raison, afin de ralentir le
rythme, de vivre le moment présent, de faire confiance au temps et
de le faire mien que j'ai commencé à observer mon sablier, le retour-
nant encore et encore pour voir le sable s'écouler. À mesure que les
grains glissaient par la minuscule ouverture, je devenais plus consciente de ma journée et, ce faisant, je commençais à honorer même
les microsecondes, et encore plus lorsque j'ai réalisé que le sable ne
remonte jamais, qu'une seconde écoulée est une seconde évanouie.

Avez-vous le temps d'aller chez le coiffeur? De parler à une
amie au téléphone? De plier vos vêtements après la lessive? Alors,
vous avez du temps à passer avec vous-même dans le silence et le
calme. Je ne dis pas que les autres activités qui remplissent vos journées ne valent pas le temps que vous y consacrez. Je me fais moi-
même couper les cheveux à toutes les six semaines et je bavarde
régulièrement avec des membres de ma famille et des amis. Mais
il y a toujours une activité que l'on peut annuler de temps en temps,
ou abréger, ou même éliminer à tout jamais. Chez moi, par exemple,
les vêtements pliés se rendent rarement jusqu'aux tiroirs. Quiconque
a la volonté de changer peut se réserver de petits moments de
solitude.

- **Où pourriez-vous aller pendant une heure?** *Tentez de
dresser une liste d'au moins dix endroits possibles. Il n'est pas*

nécessaire que ces lieux aient quelque chose d'extraordinaire. Ils doivent tout simplement pouvoir vous offrir l'occasion de passer une heure entière dans la solitude. Pouvez-vous vous isoler dans un parc, une bibliothèque, une salle de bain, votre voiture, un jardin, un hamac, un zoo, un musée, faire une randonnée ou une balade à bicyclette, aller dans une librairie, à la pêche, faire du kayak ou vous retirer dans une pièce privée?

- **Où pourriez-vous aller pour une nuit ou un week-end?** *Ceci peut être plus difficile, mais tentez tout de même de trouver cinq endroits. N'oubliez pas, ici, de vous concentrer uniquement sur le lieu et non la foule de choses dont il faudra vous occuper avant de partir. Trop souvent, nous nous paralysons nous-mêmes en nous inquiétant des obstacles avant même d'envisager la possibilité d'une telle escapade. Mais j'ai découvert que si je me contente d'abord d'imaginer une destination, j'arrive ensuite à trouver les moyens de m'y rendre. L'élaboration d'un plan vous donne du pouvoir, et ce sentiment de pouvoir vous apporte l'espoir.*

- **Où pourriez-vous aller pour un plus long séjour?** *Laissez galoper votre imagination.*

- **Aurez-vous besoin d'aide avant de partir?** Où pourrez-vous trouver cette aide? *Encore une fois, n'écartez aucune possibilité. Avez-vous des parents qui habitent à proximité? Des voisins avec lesquels vous pourriez échanger un service? Pouvez-vous organiser une combinaison de séances de jeu et de gardiennage? Si vous travaillez, de combien de jours de vacances et de congés de maladie disposez-vous? Quels autres plans aviez-vous pour l'année? Jusqu'à quel point tenez-vous à les réaliser? Avez-vous souvent été malade l'an dernier? Votre patron serait-il disposé à vous accorder un peu plus de temps?*

Relisez ces listes encore et encore alors que vous intégrez la notion de retraite à votre vie. La majorité des femmes qui participent à mes ateliers de week-end font preuve, une fois de retour à la maison, d'une grande créativité lorsqu'il s'agit de trouver des moyens de faire de la retraite une partie intégrante de leur vie quotidienne et hebdomadaire. Mais elles ont également appris à le faire progressivement, choisissant soigneusement le moment, en suivant le courant.

Une fois que vous aurez pris l'habitude de vous isoler régulièrement, commencez à vous servir de ces moments de solitude pour vous concentrer sur la perception que vous avez de vous-même. Quittez la maison et rendez-vous dans l'un des endroits qui se trouvent sur votre liste. N'emportez qu'un carnet et un stylo. Laissez-vous guider vers un lieu qui vous appelle : près d'un ruisseau d'eau vive, sous un saule pleureur, sur un rocher ou un tronc d'arbre couché qui semble fait pour s'y asseoir. Imprégnez-vous de la paix qui émane de ce lieu secret, de ce moment spécial, prenez conscience de tout ce qui vous est offert.

- **Qu'entendez-vous, que sentez-vous, que voyez-vous ?**

Ouvrez votre carnet et notez ce qui vous vient à l'esprit, des mots isolés, des pensées complètes, des souvenirs du passé. Notez également toute question, mais veillez à ne pas tenter d'y trouver une réponse ; laissez-les plutôt vivre en vous. Permettez à ce moment d'en être un de découverte et de réception. Demeurez dans le flux, dans ce lieu intermédiaire où tout est fluide. Si vous vous surprenez à penser à la vie qui existe au-delà de ce lieu, effacez cette pensée et concentrez-vous sur un objet qui se trouve près de vous. « Demeurer immobile et écouter » est un bon mantra. Répétez ces mots ou une phrase de votre choix. Vous verrez qu'en l'espace de quinze minutes environ, vous vous retrouverez dans un lieu de paix. Une fois là, vous permettrez à vos pensées de se manifester.

- À quoi est-ce que j'aspire ?
- Qu'est-ce que je cherche ?
- Qu'est-ce que je dois éliminer dans ma vie quotidienne ?
- De quoi ai-je davantage besoin ?

Donnez libre cours à vos pensées sans les censurer ni les analyser. Laissez votre esprit vagabonder librement. Vous pourriez être étonnée par les réponses que vous obtiendrez.

Avant de mettre un terme à une retraite, félicitez-vous d'avoir réussi à trouver et à entretenir la paix intérieure en accomplissant un rituel de louanges, de remerciements et de petites prières pour que dure cet état de grâce et que s'amorcent de petits changements. Notez dans votre carnet les louanges que vous vous faites pour être arrivée jusqu'ici et pour ce que vous y avez trouvé, les remerciements pour ce que vous possédez et les prières pour avoir la force de continuer à prendre votre vie au sérieux. Vous vous faites enfin un cadeau.

La retraite prolongée

Lors de chaque atelier de week-end que j'anime, une femme ou une autre me demande si je préconise que nous quittions toutes notre mari, notre famille et notre maison pendant un an. Linda, Denise et moi avons pu nous retirer dans la solitude pendant une longue période de temps. Nous avons ainsi pu nous soustraire aux exigences de la vie quotidienne et, pendant que nous vivions dans un nouvel endroit, de nous abandonner aux directives et aux demandes que nous murmurait notre cœur. Je crois que toute femme qui a véritablement l'intention de se redécouvrir doit trouver le moyen de faire une retraite prolongée. Mais il n'est pas nécessaire qu'elle dure un an ou même six semaines. Un week-end est amplement suffisant pour la majorité des femmes qui se cherchent.

Pour la grande évasion, choisissez bien le moment et tirez parti de tout événement fortuit. Évidemment, si les enfants sont malades, si vous dirigez une campagne de souscription, si c'est l'époque des vacances ou si votre mari s'apprête à conclure une importante transaction, le moment n'est pas propice à un départ. Prendre congé de la famille exige de la planification.

Une bonne façon de commencer consiste à trouver un endroit ou un lieu isolé et de s'y rendre avec quelques amies. Prévoyez passer du temps seule pendant le week-end, et profitez du temps passé en commun pour comparer vos notes respectives et parler de vos découvertes. Concentrez-vous sur vous et sur votre projet de solitude, mais soutenez-vous mutuellement et, bien entendu, savourez la joie que procure l'amitié.

Plus aucune excuse n'est possible. Nous rendons notre vie insipide par la façon dont nous concevons les excuses. Il est temps de changer de mentalité. Ajoutez à votre vie cette touche de passion dont vous avez toujours eu envie. Car, comme l'a dit l'auteure Tove Ditlevsen : « Il y a une petite fille en moi qui refuse de mourir. »

RÉSUMÉ DE FIN DE CHAPITRE

➻ Déterminez les transitions récentes qui ont marqué votre vie ;
➻ Trouvez votre place ;
➻ Faites une retraite.

SOYEZ CONSCIENTE DE VOS ATTACHES

Je viens d'une famille nomade. Mon père était employé par une grande compagnie pétrolière qui l'a muté au moins 17 fois et, pendant la majeure partie de mon enfance et de ma vie de jeune adulte, j'ai eu le sentiment de n'être chez moi nulle part. Le seul lieu où je me sentais des attaches était le cap Cod, une presqu'île qui s'avance dans l'océan Atlantique et où nous allions chaque été. Ces séjours avaient une saveur de pèlerinage. Mon frère et moi, le nez collé à la glace pendant le long trajet, regardions défiler le paysage en attendant de reconnaître des repères familiers. On remarquait tout d'abord le sol sablonneux le long de l'autoroute; et puis de temps en temps un marais salant, une cannebergière ou une anse; et, finalement, nous traversions le pont Sagamore du haut duquel nous apercevions de petites voiles blanches dérivant sur le canal. Et lorsque la voiture s'immobilisait enfin dans l'allée menant au chalet loué pour la durée des vacances, nous filions tout droit vers la plage, promettant, les doigts croisés, que nous resterions au sec.

Dans son célèbre essai intitulé *Un sentiment d'appartenance*, Wallace Stegner explique : « Aucun lieu n'en est un tant qu'il ne s'y est rien produit et que l'histoire n'en a pas le souvenir – et plus important encore, tant qu'il n'existe pas dans la mémoire individuelle. » Lorsque vous vous trouvez dans un tel lieu, vous avez la certitude d'y être à votre place et cela n'a rien à voir avec des cartes routières ou des panneaux de signalisation. Pour moi, le cap Cod, c'est l'odeur des pins, de l'air salin et de la soupe cuisant sur le réchaud à deux brûleurs, le sable dans mes chaussures et le bruissement des buissons de ciriers. Chacune de ces sensations me transporte en arrière dans le temps et m'enveloppe de satisfaction. Ce n'est donc pas un hasard si c'est là que je me suis réfugiée.

La question devient donc : Quelle est votre place ? Quel lieu vous attire ? À quel endroit retournez-vous sans cesse, en personne ou en mémoire ? Est-ce un rivage lointain ou un lac où vous alliez lorsque vous étiez enfant, ou bien les grands espaces du désert, piqués de cactus et sillonnés de sentiers d'argile rouge bien battus ? Peut-être êtes-vous attirée par les montagnes qui vous invitent à monter juste un peu plus haut, ou par la profondeur de forêts luxuriantes qui font miroiter à vos yeux leur secret et leur protection. Quel que soit le lieu ou l'espace, lorsque vous y êtes, vous êtes certaine d'y trouver d'importants impondérables : un sentiment de sécurité et de chaleur, le désir de vagabonder et d'explorer avec votre corps et aussi votre âme. Trouver ce lieu et ce sentiment d'appartenance constitue la première étape d'une retraite vraiment sérieuse.

LES CHOSES QU'ON LAISSE DERRIÈRE SOI

Les femmes qui participent à mes ateliers de fin de semaine laissent beaucoup de choses derrière elles lorsqu'elles décident de venir au cap Cod. Pendant le week-end, alors qu'elles apprennent à mieux comprendre la valeur de la retraite, elles réalisent également qu'une telle escapade est un état d'esprit tout autant qu'un déplacement, et que l'on peut parfois connaître ce sentiment d'isolement et de force en s'éloignant même des plus petites choses. Voici, dans leurs propres mots, certaines de ces personnes ou ces choses qu'elles ont laissées derrière elles.

Un mari ;

La fête de Noël du bureau et l'obligation d'envoyer des cartes de souhaits comme chaque année ;

La télévision ;

Des parents ;

La préparation du souper : j'ai donné à mon fils le numéro de téléphone de la pizzeria qui fait la livraison à domicile ;

Un amant virtuel ;

Les mauvaises herbes dans mon jardin et une caissette de nouvelles impatientes ;

Un emploi ;

Le match de football du dimanche après-midi ;

Des conversations ennuyeuses ou troublantes ;

Une personne qui a besoin de moi pour s'extirper du divan ;

Une dispute ;

Un téléphone qui sonne sans arrêt ;

La présidence de l'association parents-élèves ;

La lessive ;

Un rendez-vous chez le dentiste ;

Les relations sexuelles du week-end ;

Mon rôle d'hôtesse au cocktail annuel du quartier commémorant le jour du Souvenir ;

Les bas et les talons hauts ;

La vaisselle sale ;

Le vernis à ongles ;

Une thérapie ;

L'alcool.

VENDREDI SOIR

Libérez la matière première de votre moi

Récupérez votre moi, morceau par morceau

*« Lorsqu'on ne peut plus avancer, il est temps de revenir
en arrière et de tirer du passé quelque chose de lumineux. »*

DAVID SCHUBERT

Des racines robustes

Tout voyage exige beaucoup de planification et de préparation. Peu importe ma destination ou la durée de mon séjour, je dois mettre toute mon énergie et mon attention pour boucler mes valises, orchestrer tout ce que je laisse derrière moi et, enfin, sortir de la maison. Et puis commence le voyage lui-même, et je réalise que j'ai dépensé tant d'énergie à m'y préparer que je ne sais plus quoi faire. C'est précisément ce qui est arrivé lorsque je suis partie pour le cap Cod il y a neuf ans : je n'avais ni plan ni précédent, par conséquent pas d'exemple pour me guider, et mes réserves d'énergie étaient très basses.

Pendant un certain temps, je me suis appuyée sur les habitudes que j'avais acquises en tant que vacancière, mais elles ne m'ont pas aidée à comprendre le changement que j'avais amorcé ou à décider de ce qu'il convenait de faire ensuite. Elles m'ont permis de vaquer à mes diverses occupations, mais ne m'ont pas apporté de nouvelles réponses aux questions qui me hantaient : « Qui étais-je maintenant que je m'étais enfuie ? Comment faire pour reconstruire ma vie ? De quels matériaux disposais-je pour y parvenir ? »

Un jour, alors que je faisais distraitement un peu de rangement dans la maison et tentais de trouver quelque chose à faire pendant l'après-midi, mon regard s'est posé sur la bibliothèque qui se trouvait à une extrémité du salon. Les étagères croulaient sous les albums photos et les souvenirs. Les reliures étaient usées et la majorité des livres y avaient été rangés à la hâte. Mes fils aimaient jadis y fouiller pendant les jours d'été pluvieux, mais cela faisait maintenant des années que je n'avais pas passé de temps avec eux.

Instinctivement, je me suis emparée d'un album qui me semblait particulièrement familier. Mon frère et moi en avions fait le montage à l'occasion du 25e anniversaire de mariage de nos parents. Nous y avions soigneusement agencé des photos qui illustraient, à nos yeux, les principaux événements de leur vie : l'époque de leurs fréquentations et le jour de leur mariage, la naissance de leurs enfants, les fêtes de Noël et les anniversaires, les pièces de théâtre que nous avions mises en scène à l'école, et nos vacances d'été. Là, nous batifolions, nus, dans les vagues sur une plage de la Caroline du Sud ; là, nous avions l'air aussi angélique que des chérubins lors d'une cérémonie religieuse ; là, nous nous tenions fièrement debout à côté d'un énorme bonhomme de neige que nous avions péniblement assemblé et qui se tenait de guingois. Il y avait des photos prises l'été où l'on me voyait courir joyeusement sous le jet glacé d'un tourniquet d'arrosage, pendue de façon précaire à une cage à poules, ou apprenant à jouer à la marelle sur le trottoir devant la maison. Sur toutes ces photographies, j'arborais un sourire confiant, des yeux remplis d'étoiles et il était clair que j'adorais faire des pitreries.

Vers le milieu de l'album, je semble avoir changé. La petite fille autrefois si vive est devenue ronde et léthargique. Ses yeux ne pétillent plus d'exaltation, et elle semble gênée, tendue et carrément distante. J'ai entrepris de retirer les clichés me représentant seule ou en gros plan. Je les ai placés sur le plancher du salon en tentant de respecter l'ordre chronologique, espérant ainsi comprendre ce qui m'était arrivé. Alors que j'étudiais mon langage corporel, j'ai remarqué autre chose : le paysage changeait constamment.

À la fin de l'album, ma mère avait ajouté deux pages remplies de photos de toutes les maisons où nous avions vécu au fil des ans, et je me suis rappelé la peine que j'avais ressentie chaque fois que nous avions dû déménager. Je n'avais que six ou sept ans la première fois, et la pensée terrifiante de dire au revoir à tout ce que j'avais toujours connu, et de déménager dans les lointaines collines de la Pennsylvanie, m'a fait sangloter de façon incontrôlable.

Avec chaque déménagement qui a suivi, je suis devenue de plus en plus habile à dissimuler mes sentiments. Les photographies révélaient à quel point j'étais passée maître dans l'art de regarder autour de moi et de me faire rapidement une opinion de mes nouvelles camarades de classe et de mes jeunes voisins. J'ai remarqué que, tout comme les arrière-plans, mes vêtements et ma coiffure changeaient. Je me rappelais que les premières semaines passées dans chaque nouvel endroit avaient été consacrées à changer mon apparence de manière à m'intégrer à un nouveau moule et à me construire un sentiment d'appartenance, à m'intégrer à un groupe de camarades et à m'identifier à ma nouvelle ville.

Mais ces déplacements répétés ont non seulement étouffé mon esprit, mais ils ont aussi mis ma voix originale en veilleuse. Je suis devenue l'écho de la chanson qui dominait dans mon nouveau milieu. Je visais à plaire et j'évitais tout conflit ou touche d'originalité. J'étais la preuve vivante de cette vérité qui ressort des écrits de Wendell Berry : « Si vous ne savez pas où vous êtes, alors vous ne savez pas qui vous êtes. » « *Certaines choses ne changent jamais* », ai-je pensé avec un ironique désespoir. Voilà que, à l'âge de 50 ans, je m'étais une fois de plus déracinée, mais volontairement, et je me sentais toujours aussi perdue et confuse.

J'ai continué à examiner les photos, maintenant éparpillées en permanence sur la table de la cuisine. Ce survol du début de ma vie a créé une sorte de dépendance et, comme un archéologue qui trouve enfin un royaume perdu depuis longtemps, j'étais déterminée à trouver tous les fragments qui me permettraient de reconstituer mon histoire. J'ai ensuite pris les albums les plus anciens, ceux dont les reliures étaient déchirées depuis longtemps et qui avaient été réparées avec du ruban adhésif. À l'intérieur, sous chaque vieille photographie, ma mère avait inscrit le nom du sujet, ainsi que la date de son anniversaire ou celle de son arrivée dans ce pays.

Tant de membres de ma famille étaient des immigrants – des grands-oncles, des tantes et un grand-père avaient tous été photographiés à Ellis Island à leur arrivée de Suisse, d'Allemagne et d'Écosse, assis sur un banc avec seulement une valise, et probablement très peu d'argent ou de connaissances de la langue anglaise. Mais ils semblaient tous remplis d'espoir, et leur langage corporel parlait de détermination, d'indépendance et de ténacité. Au lieu d'adopter l'attitude de mes lointains parents, il semblait que j'avais tout simplement perdu courage. Comment une personne qui avait été élevée par des gens aussi audacieux pouvait-elle piétiner ou dérailler ainsi ?

Ce regard jeté sur mon enfance m'a fait réaliser que celle que j'étais devenue et les sentiments qui m'habitaient faisaient partie d'une réaction aux circonstances de ma vie. Comme tant d'entre nous le font, les hommes comme les femmes, j'avais laissé ces circonstances me prendre la meilleure partie de mon individualité. Cela s'était fait pratiquement tout seul parce que, chaque fois que nous déménagions, ma famille était un peu plus seule. Il y avait des photos de mon frère, de mes parents et de moi avec divers amis, mais seulement une ou deux photos d'un sujet unique.

Notre famille élargie n'y apparaissait qu'une ou deux fois par année, sur des clichés pris lors de vacances ou d'une visite occasionnelle, et ces albums que je feuilletais n'offraient aucune continuité dans la présentation de visages amicaux et familiers. Il était aisé de constater que mes liens avec ma famille élargie avaient été fortement dilués, mais ce que j'ai découvert ensuite s'est révélé une leçon cruciale en ce qui a trait à la compréhension et à la robustesse de mes racines.

Le mouton noir guide le troupeau

Dans une enveloppe bourrée et pleine à craquer, j'ai trouvé des photos de ma chère tante Elsie, la sœur de ma mère, et je me suis assise pour les examiner, un grand sourire illuminant mon visage. Elle était bizarre et extravagante. Nous voulions tous nous asseoir à côté de tante Elsie et être le bénéficiaire particulier de ses histoires. Et pourtant, j'avais eu peine à sourire lorsque mon oncle m'avait comparée à elle. « Elle était audacieuse, autoritaire et extravagante, tout comme toi », m'avait-il dit. Je me rappelle avoir rougi et souhaité qu'il me compare à l'une de mes tantes plus aimables et plus douces. Tante Elsie était amusante, mais elle était également le mouton noir de la famille et tout ce qu'une femme ne devait pas être : elle avait eu un enfant hors mariage, l'avait donné en adoption et elle était « entretenue » par l'avocat dont elle était la secrétaire.

À l'époque où mon oncle avait fait ce commentaire, je m'efforçais encore d'être la bonne petite fille qui respecte les règles et qui veut se faire accepter, mais je comprends maintenant à quel point il m'avait fait un beau compliment. À ce stade de ma vie, je préférerais de loin être comparée à une parente pittoresque, vive et non conventionnelle qu'à une autre qui soit docile et effacée. Après tout, tante Elsie, avec son côté théâtral, s'est révélée « insubmersible », une véritable femme libérée un demi-siècle avant Betty Friedan.

De plus, elle a vécu sa vie avec désinvolture : elle s'est instruite et a parcouru le monde avec son amant. La photo que je préfère a été prise à bord du *Mauritania* juste avant leur départ pour l'Europe : debout sur le pont, ils nous saluent, une coupe de champagne à la main, sous une pluie de serpentins ; tante Elsie est couverte de fourrures et de bijoux. Comme toujours, elle sourit et ses yeux sont remplis d'étoiles.

Je contemplais ce cliché depuis un bon moment lorsque, soudain, j'ai remarqué que tante Elsie et moi avions le même front large. De fait, ce n'est pas l'unique caractéristique physique que nous partageons : nous avons la même mâchoire, la même structure osseuse et le même sourire. Me levant, je suis allée examiner mon visage dans la glace. Oui, effectivement, cela aurait pu être moi qui me tenais sur le pont de ce paquebot ! Et si j'avais la même ossature et le même sourire qu'elle, si mon oncle m'avait un jour comparée à elle, peut-être que je n'étais pas aussi seule et perdue que je le croyais.

Cette vieille photographie m'a aidée à comprendre qu'en dépit du nombre de fois où j'ai déménagé, changé de coiffure ou acheté de nouveaux vêtements, j'avais des racines robustes. Alors que mes souvenirs de tante Elsie prenaient une nouvelle couleur, ma mémoire a fait surgir dans mon esprit le portrait d'autres femmes de ma famille. Il y avait grand-maman Lee, calme et obstinée, qui avait toujours son sac à main suspendu à son bras, prête pour l'aventure ; tante Vallie qui cousait elle-même ses robes haute couture avec de vieux draps de lit ; la brave tante Minnie qui, après la mort de son mari, était demeurée sur la ferme familiale du Minnesota afin d'y élever ses quatre enfants ; l'incorrigible grand-maman Jo qui avait toujours refusé de cesser de fumer malgré les recommandations de son médecin.

Les femmes de ma famille étaient audacieuses, amusantes, courageuses, incorrigibles, braves, fascinantes, indépendantes et obstinées, et il était grandement temps que je me réapproprie mes gènes. J'ai donc levé ma tasse de café à tante Elsie et à toutes les autres femmes de ma famille qui avaient non seulement survécu, mais qui avaient aussi réussi à vivre leur vie, malgré tout ce que les autres disaient ou pensaient d'elles, et puis j'ai élaboré un plan.

Donnez naissance à une nouvelle création à partir de votre ancien moi

J'allais puiser dans le fourre-tout des expériences que j'avais héritées des femmes de ma famille, aussi bien pour les honorer que pour sauver mon âme. Clarissa Pinkola Estés donne le même conseil lorsqu'elle écrit : « Les vieilles valeurs – même s'il faut creuser pour aller les rechercher ou les réapprendre – soutiennent l'âme, soutiennent la psyché. Ce qu'on appelle les vieilles traditions est une forme de nutrition qui ne s'altère jamais et augmente même au fur et à mesure qu'on s'en sert. (…) Dans la plupart des cas, attaquer l'héritage que nous ont laissé les valeurs anciennes, les valeurs de l'âme, est une fois encore tenter de couper une femme de son héritage matrilinéaire. »[4]

Comme première étape, j'ai dressé la liste des qualités que j'admirais le plus chez ces femmes et je l'ai placée au-dessus de l'évier de la cuisine pour me rappeler d'être moins stricte envers moi-même et de me dépasser tout à la fois. Si je choisissais « insouciante », je restais au lit toute la journée avec une pile de magazines ou j'annulais toutes les activités que j'avais prévues et j'allais faire de la randonnée ou du kayak en solitaire ; si je choisissais « extravagante », j'allais courir nue dans les vagues sans me soucier du temps qu'il faisait.

Pendant cette année que j'ai passée au bord de la mer, il m'a fallu être « indépendante » pour survivre financièrement. J'ai rapidement développé la volonté de trouver un emploi, le courage de ne pas jouer la carte de la sécurité, et de travailler au marché aux poissons jusqu'à en avoir les mains gercées et les muscles endoloris. De plus, j'ai été « courageuse » de me lancer dans l'ouverture des palourdes et « brave » de louer un bateau pour aller camper seule à North Beach.

Petit à petit, j'ai appris à répondre « pourquoi pas » à toute idée ou tout désir qui surgissait dans mon esprit, et j'ai senti que mes ancêtres m'applaudissaient de leur tombeau. Si je recevais une invitation, je ne demeurais pas assise à réfléchir, mais je l'acceptais avec spontanéité et conviction. Je disais de plus en plus souvent « oui », sachant que j'étais née pour le faire. Les choses changeaient, et seulement pour le mieux. J'avais souhaité être habitée d'une sensation de potentiel passionné et je commençais enfin à le sentir, et tout cela parce que j'avais pris conscience de l'immense réserve de force que j'avais à ma disposition.

---

4. Clarissa Pinkola Estés, *Femmes qui courent avec les loups*, p. 677.

Une parente modèle

Lorsque j'ai commencé à planifier mes premières retraites au bord de la mer, il m'est apparu évident qu'un exercice similaire devait faire partie du programme, et plus tôt il serait fait pendant le week-end, mieux ce serait. Donc, maintenant, je demande aux participantes d'apporter une photo d'une parente qu'elles admirent et de raconter son histoire au groupe. Dès le premier soir, nous parlons de ces « parentes modèles ».

De nombreuses femmes arrivent sans photo, déclarant qu'elles avaient été paralysées par la timidité et que rien ne leur était venu à l'esprit lorsqu'elles avaient tenté de penser à une ancêtre à laquelle elles aimeraient ressembler. D'autres lèvent immédiatement la main, impatientes de chanter les louanges d'une mère ou d'une grand-mère. La plupart du temps, ces parentes qu'elles admirent se révèlent d'extraordinaires pourvoyeuses de soins : des femmes qui ont persévéré malgré la pauvreté, un mari absent ou une grave maladie.

Je les écoute attentivement, tentant de trouver des adjectifs à noter sur le tableau. Je veux que ces femmes voient tout ce qu'elles peuvent puiser dans leur bagage héréditaire, mais je veux aussi qu'elles se défassent du syndrome de l'abnégation. Au cours de la soirée, un témoignage se démarque finalement et oriente la discussion dans la direction que je souhaite. Récemment, lors de l'une de ces retraites, Mary Beth, qui était venue de Georgie, pensait qu'elle allait s'inspirer de la grandeur de sa dévouée grand-mère. Mais alors qu'elle fixait la photo encadrée qu'elle avait posée sur ses genoux, elle a réalisé que, même si sa grand-mère était la seule adulte qui avait semblé se soucier d'elle, cette même femme avait été amère, pleine de ressentiment et rongée par l'insatisfaction.

Les yeux de Mary Beth se sont remplis de larmes pendant qu'elle se remémorait la façon dont sa grand-mère bousculait tout dans la cuisine en préparant le dîner, ne déléguant aucune tâche, n'invitant personne à l'aider, et n'écoutant même jamais de musique. Une fois le repas prêt, elle le servait avec une précision toute militaire et mangeait en silence. Il n'y avait aucune joie autour de la table. Sur son lit de mort, elle avait confessé à Mary Beth qu'elle avait tout fait de travers. « Pense plus à toi, ma chérie, lui avait-elle dit. C'est le moins que tu puisses faire pour moi. »

Après un moment de réflexion, Mary Beth avait conclu que la véritable héroïne dans sa vie était probablement sa mère. La famille tout entière lui en avait voulu lorsqu'elle avait quitté son mari, même si tout le monde savait qu'elle se soustrayait ainsi à une relation marquée par la violence. Elle avait attendu que les enfants quittent la maison et elle s'était enfuie en Floride. Par bonheur, Mary Beth avait apporté une photo de sa mère. Lorsqu'elle l'avait sortie de son sac à dos, il y avait eu des murmures surpris autour d'elle.

« C'est votre mère ? », s'était exclamée l'une des participantes.

« Ce n'est pas possible », avait ajouté une autre femme. « Quel âge a-t-elle ? »

Toutes ont été étonnées par cette photographie d'une femme vêtue d'une robe rose criard déambulant sur un trottoir, par son langage corporel irradiant la liberté et la satisfaction, et par son sourire naturel. Personne n'arrivait à croire qu'elle avait plus de 70 ans.

« Je crois que c'est son énergie que je suis venue retrouver ici, a dit Mary Beth d'un ton songeur. Ma mère était audacieuse, rebelle, un peu folle, anticonformiste, et elle était tolérante envers elle-même. Posséder n'importe laquelle de ces qualités m'aiderait à me trouver. » Je me suis empressée d'inscrire ces mots sur le tableau.

« J'avais une tante prénommée Margie, a dit une autre participante. Elle avait un rire qui ressemblait à un gloussement et rien ne parvenait à l'intimider. Elle portait toujours des jupes gitanes ou des tenues de bohémienne de marque Putumayo. Elle a divorcé deux fois et elle a ensuite vécu heureuse, seule dans un petit appartement décoré de tapisseries qu'elle avait rapportées de l'Inde et de cageots à fruits recouverts de soie en guise de tables. C'est l'une des premières végétariennes que j'ai connues, et je pouvais toujours compter sur un cari bien épicé lorsque j'allais lui rendre visite. »

Encore plus de merveilleux adjectifs figuraient maintenant sur le tableau.

« Ma grand-mère Geri était étonnante elle aussi », a enchaîné Cindi. « Elle est devenue une radicale dans les années 1960 et, à l'âge de 64 ans, elle est montée à bord d'un autocar Greyhound à destination de Berkeley. Elle y a vécu dans un meublé d'une pièce, a travaillé comme serveuse pour boucler ses fins de mois et a participé à des manifestations contre la guerre du Viêt-nam. Tout le monde a été choqué, surtout mon grand-père. Elle est revenue un an plus tard et a repris la vie commune avec lui, mais pas de la même façon. C'était un maniaque du contrôle, mais elle ne lui a plus permis de s'ingérer dans son emploi du temps. Elle a dirigé la cellule locale du parti démocratique et loué un autocar pour participer à la Marche vers Washington avec tous ses nouveaux amis. » J'ai ajouté les mots *indépendante*, *libérale*, *déterminée*, *radicale* et *extravagante* sur le tableau.

Une femme a ensuite parlé de sa tante Mamie, une artiste qui peignait uniquement des nus en s'inspirant de modèles vivants et qui, pour cela, avait transformé sa salle à manger en atelier. La tante d'Adelia avait parcouru le monde après être devenue colonelle dans l'armée. « Nous l'appelions tout simplement "la Colonelle", elle a été l'une des premières femmes à obtenir ce grade. Elle a participé à plusieurs guerres et elle ne comptait jamais sur un homme pour la sortir d'une impasse. » Charlotte a raconté qu'elle n'avait pas une, mais deux grands-mères qui avaient divorcé (ce qui était impensable il y a 60 ans). L'une était organiste dans une église et s'était enfuie avec un membre de la chorale.

Peu importe le temps qu'il nous faut pour démarrer, le cours de la discussion évolue invariablement pendant la soirée. Cette discussion amorce le bris d'un cycle lorsque les participantes commencent à saisir les choix qui s'offrent à elles. Même celles qui sont encore incapables de s'inspirer d'une parente se sentent soudain plus fortes, car elles perçoivent que n'importe laquelle des qualités inscrites sur le tableau est désormais à leur portée. Une fois partagées avec le groupe, les histoires d'une tante ou d'une grand-mère peuvent ensuite inspirer toutes les participantes ; les modèles ne manquent pas.

La majorité de ces femmes vont ensuite se coucher, persuadées qu'elles ont entrepris un voyage non seulement incroyable, mais qui pourra aussi donner des résultats. Les frontières de l'impossible ont reculé, et leurs horizons se sont élargis. Avant le lendemain matin, leur tâche consiste à passer en revue les diverses caractéristiques inscrites sur le tableau et à en choisir une ou plusieurs qu'elles intégreront dorénavant dans leur vie. Je les appelle des «intentions»: en eux-mêmes, les mots agissent comme les catalyseurs d'un nouveau comportement. À leur départ le dimanche, chaque femme rapportera à la maison un caillou sur lequel j'aurai inscrit leurs intentions. Ce simple processus de verbalisation de leurs nouveaux buts donne déjà un caractère plus concret au changement auquel elles aspirent.

L'appareil photo ne cligne jamais des yeux

De quelles histoires vous souvenez-vous au sujet d'une parente qui vous attire ou vous inspire? Même si vous lisez ce livre seule, tentez de trouver un moyen de partager ces histoires avec un groupe d'amies. Le seul fait d'en parler pousse souvent notre esprit à emprunter des voies de découverte imprévisibles et à faire surgir des souvenirs. Peu importe votre approche, je suis certaine que vous comprendrez que ce regard en arrière afin de mieux avancer peut vous aider à réaliser que vous avez en fait des racines robustes.

Maintenant, trouvez le plus grand nombre possible de photos de votre enfance, du berceau à l'adolescence. Étudiez ensuite votre développement. Prêtez attention à votre apparence, à votre humeur et à tout changement significatif. Il est utile d'étaler ces photos sur une surface plane, en ordre chronologique. Prenez le temps qu'il faut pour répondre aux questions qui suivent. Vous pouvez choisir d'examiner d'abord les photos de divers membres de votre famille avant de vous pencher sur celles de votre enfance. L'important est de permettre à ces images d'éveiller des souvenirs. Laissez ce compte rendu visuel déclencher le vagabondage de vos pensées.

Pendant que vous examinez ces photographies, posez-vous les questions suivantes et répondez-y sur une feuille ou dans votre journal intime:

- Que voyez-vous sur votre visage d'enfant ? Voyez-vous une petite fille heureuse et insouciante, ou une enfant triste ? Jouez-vous ou dissimulez-vous vos sentiments ?

- Dans quels lieux et situations avez-vous l'air naturel, et dans quelles circonstances semblez-vous avoir pris une pose affectée ?

- Y a-t-il des changements prononcés dans votre apparence ou votre comportement ? Comment votre style de coiffure a-t-il évolué ? Comment votre style vestimentaire a-t-il changé avec le temps ? Qui figure à vos côtés sur ces photographies ?

- De quelles expériences de vie associées à chacun de ces changements vous souvenez-vous ? Avez-vous déménagé, étiez-vous en vacances, se passait-il quelque chose de particulier dans votre famille, étiez-vous tout simplement en train d'entrer dans l'adolescence ou l'âge adulte ?

- Pour terminer, examinez comment et quand vous avez dévié de votre « voie personnelle » pour emprunter celle qui était préconisée par la société. Quand avez-vous commencé à jouer les rôles que l'on attendait de vous ?

Et maintenant, remontez encore plus loin dans le temps en examinant des photographies de vos parents, grands-parents, arrière-grands-parents, tantes et cousines. Encore une fois, permettez à ces photos de faire surgir des souvenirs.

- De quelles histoires vous souvenez-vous au sujet de ces parents et de la façon dont ils ont vécu ?

- Quel impact chacun d'eux a-t-il eu sur votre vie ?

- Ressemblez-vous à l'un d'eux ? Avez-vous hérité d'un de leurs traits de caractère ?

- D'après ce dont vous vous souvenez, quelles sont certaines des caractéristiques de leur personnalité ? Avez-vous déjà songé à en faire un modèle pour vous ?

Finalement, dressez une liste de ces remarquables qualités et affichez-la dans un endroit très visible. Choisissez-en une chaque semaine et tentez de la faire vôtre.

Cet exercice a pour but de vous encourager à retourner le plus loin possible en arrière, tant pour comprendre votre propre douleur que pour extraire certaines des caractéristiques qui sont implantées dans votre bagage héréditaire et que vous pourrez considérer comme des points forts. Dès que vous aurez saisi quel est le pouvoir de ces caractéristiques, vous pourrez commencer à y puiser régulièrement. Après tout, cela ne sert à rien de vous empêcher d'être vous-même.

La logique du cycle de la vie

Mon admiration pour les femmes de ma famille m'a nourrie pendant un certain temps, et je me suis sentie libérée de nombreuses contraintes liées à mon ancienne perception de moi-même. Mais ce n'est que lorsque j'ai commencé à examiner les divers stades du cycle de ma vie avec Joan Erikson que j'ai véritablement compris combien j'avais, moi aussi, à offrir. Joan m'a encouragée et m'a guidée sur de nouveaux sentiers dès notre rencontre, et je l'ai rapidement considérée comme l'une de mes modèles.

Et puis, un jour, elle m'a conseillé d'aller un peu plus loin. «Vous savez, ma chère, a-t-elle dit, vous avez fait beaucoup de progrès en cultivant les caractéristiques que vous avez héritées de vos parentes, mais il est temps que vous intéressiez aux nombreux points forts que vous avez développés vous-même. Nous avons toutes besoin de voir et de sentir notre pouvoir individuel, de chercher un sens à notre vie et de comprendre qu'il se trouve ici», a-t-elle poursuivi en mettant la main sur son cœur. «Lorsque nous le réalisons, nous n'avons plus besoin de chercher une affirmation de soi à l'extérieur. Nous pouvons tout simplement commencer à nous parrainer nous-mêmes.»

J'ai depuis songé à quel point il avait été imprévu que je croise la route des Erikson plutôt que celle de Freud ou de Jung. Je pense que Freud m'aurait sans doute analysée pendant une bonne dizaine d'années, allongée sur son divan, passant en revue toutes mes faiblesses; et Jung m'aurait fait retourner pierre après pierre à la recherche de mon côté ombre. Quant à elle, Joan Erikson m'a aidée à comprendre que je pouvais bénéficier d'une énergie et de forces toutes neuves en tentant de me réinventer et de me revigorer; en examinant soigneusement comment j'avais géré les barrages, les obstacles et les carrefours ayant constitué des défis dans ma vie; en me remémorant ces lieux et ces moments où j'avais pris la bonne décision, j'étais demeurée sur ma trajectoire, je m'étais accrochée; j'avais évité des écueils, ou j'étais simplement sortie du gouffre après y être tombée.

Elle m'a expliqué que la force naît de l'adversité, et qu'une nouvelle énergie est générée par les tensions que nous sommes faites pour gérer. En s'inspirant des célèbres théories psychanalytiques de son mari, Joan m'a encouragée à effectuer un survol de ma vie en me concentrant sur ce que j'avais fait pour réussir plutôt que, comme j'avais tendance à le faire, sur ce que j'avais fait pour échouer.

Pour prospérer, et non seulement survivre, vous devez comprendre le cycle de votre vie. Examinez les huit stades qui ont été déterminés par les Erikson, ainsi que les forces qui correspondent à chacun d'eux. Alors que vous vous remémorez des moments précis de votre enfance ou de votre vie adulte, pensez à la façon dont vous avez acquis l'une ou l'autre de ces forces en résolvant certains conflits. C'est en reconnaissant vos points faibles et en déterminant vos points forts que vous pourrez, entre autres, reconquérir votre identité.

NOURISSON:	Confiance *versus* Méfiance; la force acquise est l'ESPOIR.
PETITE ENFANCE:	Autonomie *versus* Honte; la force acquise est la VOLONTÉ.
ÂGE DU JEU:	Initiative *versus* Culpabilité; la force acquise est la RÉSOLUTION.
ÂGE SCOLAIRE:	Travail *versus* Infériorité; la force acquise est la COMPÉTENCE.

ADOLESCENCE :   Identité *versus* Confusion ; la force acquise est la FIDÉLITÉ.

JEUNE ADULTE :   Intimité *versus* Isolement ; la force acquise est l'AMOUR.

MATURITÉ :   Générativité[5] *versus* Stagnation ; la force acquise est la RESPONSABILITÉ.

VIELLESSE :   Intégrité *versus* Désespoir ; la force acquise est la SAGESSE.

Dressez la liste des gains et des pertes dont vous pouvez vous souvenir pour chaque stade de votre vie. Mettez l'accent sur vos réussites, la façon dont vous avez surmonté des obstacles ou avez réglé des conflits. Ensuite, tentez de déterminer les forces innées auxquelles vous avez fait appel dans chaque situation. Établissez une liste de ces forces. Elles vous appartiennent et vous pouvez y recourir encore et encore.

Les couleurs de votre vie

Étant donné que la méthode de Joan était de montrer, et non de dire, nous avons surtout parlé de notre passé tout en tissant de petites tapisseries illustrant les cycles de notre vie. Joan avait élaboré une théorie personnelle selon laquelle chacun des stades pouvait être représenté par une unique couleur. Elle avait choisi le bleu pâle pour l'espoir ; l'orangé pour la volonté ; le vert pour la résolution ; le jaune pour la compétence ; le bleu foncé pour la fidélité ; le rouge pour l'amour ; le vert pâle pour la responsabilité ; et le violet pour la sagesse. Nous tissions un liteau, une raie de couleur pour chaque stade et y ajoutions des touches de couleur additionnelles à mesure que nous parlions des expériences qui avaient « coloré » notre vie. « J'ai toujours pensé au moi comme à une tapisserie richement colorée, m'a dit Joan, chaque fil participant à l'intégrité de la création.

---

5. La générativité, concept développé par le psychanalyste Erik Erikson, se manifeste chez les personnes âgées par une préoccupation à vouloir guider les générations futures.

Des rangs d'histoires et de circonstances nous ont façonnées, et il est important de les défaire afin de trouver ces parties de nous qui ont été enterrées. C'est la racine qui a grandi dans un sol aride que nous cherchons, ma chère. »

En tissant avec Joan, j'ai appris que chacune d'entre nous est celle qu'elle est à cause d'un amalgame unique d'expériences. La tapisserie de Joan ne ressemblait pas du tout à la mienne : ses couleurs étaient plus vives et plus abondantes, les miennes plutôt conventionnelles et plus prévisibles, et elle avait déjà couvert la totalité de son canevas alors qu'il m'en restait le tiers à couvrir des couleurs que je souhaitais. Cette tapisserie colorée et inachevée était le reflet d'une conviction grandissante, me prouvant que j'avais en moi la matière première pour changer et donner vie aux paroles de l'une de mes auteures préférées, Florida Scott-Maxwell : « Il suffit de revendiquer les événements de votre vie pour vous approprier votre moi. » Et c'est ainsi que j'ai pris la ferme résolution de façonner mon avenir et celui des femmes que je connais. Une vie colorée est à la portée de chacune d'entre nous.

Plus tard, j'ai pris les couleurs de ma tapisserie et j'en ai fait une tresse que j'ai placée dans mon sac à main, là où je pouvais fréquemment la toucher. Cet assemblage de fils est devenu comme une sorte de bouée de sauvetage pour moi, un rappel palpable de mes efforts.

Maintenant que vous avez une meilleure idée de vos luttes et de vos forces, pourquoi ne pas nouer ensemble les couleurs de votre vie ? Rappelez-vous les couleurs que Joan Erikson a choisies pour représenter les huit stades.

- Étalez devant vous des brins de laine ou des fils à broder pour représenter chaque stade de votre vie.

- Pensez à vos plus grandes forces, et choisissez plusieurs fils de cette couleur.

- Continuez à représenter les forces correspondant à chaque stade, en utilisant une quantité appropriée de couleurs afin d'indiquer leur présence dans votre vie.

- Lorsque vous aurez fabriqué une tresse de huit couleurs, ajoutez-y un peu de rose vif ou de vert jaune afin de représenter les moments amusants, vibrants et fous. Ajoutez encore un peu de brun et de noir pour les moments plus sombres.

Il est plus facile de fabriquer cette tresse avec une partenaire, comme le font les femmes qui participent à mes retraites d'une fin de semaine. Pendant que votre compagne en tient une extrémité, commencez à tresser les couleurs de votre vie, en racontant votre histoire et en expliquant pourquoi vous utilisez une couleur plutôt qu'une autre. Vous luttez contre une habitude ancrée depuis toujours lorsque vous tentez de vous concentrer sur vos forces plutôt que sur vos blessures. Il faut parfois le regard et l'écoute d'une autre, ainsi que sa compréhension et ses encouragements, pour que nous arrivions à voir que toutes les épreuves et les pertes que nous avons subies nous ont préparées à revendiquer notre vie.

Lorraine, une participante originaire de l'Arizona, m'a écrit :

« *Cet exercice a été très difficile pour moi. Il était tellement plus facile de faire des observations sur le témoignage de la femme avec qui je travaillais que de me pencher sur ma propre vie. Lorsque je me suis levée pour prendre mes fils de couleur sur la table, j'ai eu toute la difficulté du monde à décider de la quantité de chaque couleur dont j'aurais besoin. Je me rappelle avoir regardé autour de moi et avoir imité une autre femme. Instinctivement, j'ai senti que j'avais tort, mais j'avais littéralement besoin que ma partenaire me guide. Lorsque nous avons commencé à fabriquer notre tresse, j'ai eu moins de difficulté à raconter mon histoire.*

« *J'ai été capable de raconter des épisodes correspondant à chacun des huit stades, mais ils étaient tous passablement horribles. J'ai dû parler d'un viol dont j'avais été victime étant enfant, de l'abandon de mes études, du divorce de mes parents et de la dépendance à la drogue de mon fils. J'avais envie de pleurer, et non de tresser des fils ! Et puis Beverly a tendu la main pour serrer la mienne. "Quelle volonté tu as développée", a-t-elle dit. Je n'avais jamais vu cette force en moi. À mes yeux, c'était un instinct de survie basé sur la peur et un sentiment de vulnérabilité. Mais je me suis sentie si fière lorsqu'elle m'a parlé de volonté.*

« Et j'ai réalisé que ma vie avait été modelée par une extraordinaire volonté d'accomplir quelque chose et de survivre. Je me suis levée et me suis emparée d'une grande quantité de fils orangés. J'examine de temps en temps cette tresse et je regarde tous ces fils orangés. Ils font en sorte que je me sens forte. Je sais également que j'ai en moi d'autres forces que je peux extraire si je continue à les chercher au lieu de me noyer dans des souvenirs douloureux. J'ai la ferme intention de fabriquer d'autres tresses, et je sais que très bientôt je pourrai couvrir tout un mur de créations multicolores. »

À mesure qu'une couleur se mêlera à une autre, vous illustrerez métaphoriquement toute votre vie. Reprenez votre ouvrage aussi souvent que vous le souhaitez, sans jamais défaire le nœud initial, mais en ajoutant des couleurs au fur et à mesure que des souvenirs surgissent. Une vie inachevée et en pleine évolution se traduit par des couleurs vivantes !

Nous possédons déjà tout ce dont nous avons besoin pour aller de l'avant. Chacune d'entre nous a hérité d'une vision claire, de courage, de compassion et d'intégrité afin que nous puissions raccommoder notre vie et notre esprit. Ces racines robustes ont peut-être été négligées et cachées sous le poids de nombreuses années de poussière accumulée, d'incompréhension et de conformisme, mais elles ne sont pas desséchées. Il revient à nous de creuser, d'extraire les forces qui nous appartiennent de naissance et de les exposer à la lumière du jour.

Nous vivons dans une culture qui nous laisse croire que nous pouvons nous renouveler en changeant d'apparence, de visage ou de lieu de résidence. Mais ce ne sont là que des améliorations extérieures et superficielles qui ne nous aident guère à nous connecter à quelque chose de solide et de nourrissant. Le véritable changement exige du temps et nécessite que nous fassions l'effort de nous rappeler notre histoire, car nous ne pourrons jamais nous retrouver sans elle.

Nous sommes toutes tellement uniques. Quel don précieux perd le monde si nous ne trouvons pas qui nous sommes et puis ne partageons pas notre individualité avec les autres.

RÉSUMÉ DE FIN DE CHAPITRE

- Glorifiez vos racines ;
- Inspirez-vous d'une parente modèle ;
- Étudiez votre cycle de vie ;
- Choisissez les couleurs de votre vie ;
- Donnez naissance à une nouvelle création à partir de votre ancien moi ;
- Formulez une intention.

LES INTENTIONS

Le mot «intention» vient de la racine latine *intendere*, qui signifie «tendre vers quelque chose». Pour toute femme qui a besoin de changer de direction, de personnalité et d'attitude, il est important de formuler des intentions de manière à ce qu'elle puisse tendre vers une nouvelle façon d'être. J'ai formulé une première série d'intentions lorsque j'ai mis par écrit les qualités que j'admirais chez les femmes de ma famille. Cette liste m'a donné un but à atteindre et une direction à prendre. Plus tard, lorsque j'ai convaincu un pêcheur de m'emmener au large admirer des phoques, j'ai formulé une autre série d'intentions.

Au début, je n'arrivais pas à comprendre ce qui faisait de ces phoques des animaux si spéciaux. Ils étaient gras, bruns et gris, et ils grognaient. Mais j'ai eu beaucoup de plaisir à observer leurs pitreries. Après un moment, je me suis rendu compte qu'ils agissaient comme j'aimerais pouvoir le faire. Ils étaient enjoués, ils vivaient le moment présent, ils étaient vulnérables, sauvages, mystérieux, curieux, espiègles, drôles et bien dans leur peau.

J'ai fouillé dans mon sac à dos où j'ai trouvé un vieux reçu sur lequel j'ai gribouillé rapidement toutes ces qualités et attitudes que je trouvais si charmantes. De retour sur la terre ferme, j'ai collé cette liste sur le miroir de la salle de bain, là où je pouvais la voir immédiatement après mon réveil. Tout comme la liste que j'avais dressée après avoir feuilleté les albums photos, celle-ci m'a permis de demeurer concentrée sur ce que je voulais devenir et sur la façon dont je voulais vivre ma vie.

Mettre par écrit un mot ou une série de mots qui vous charment et qui vous rappellent qui vous pourriez être est une première étape importante sur la voie de la guérison et du changement. Formuler une série d'intentions, ou encore une intention unique, vous aidera à déterminer la nouvelle voie que vous souhaitez emprunter. Cela vous donnera une direction et un but.

Le plus important est de se rappeler que les intentions sont de pures possibilités. Ce sont des droits ainsi que des désirs qui peuvent éclipser toute limitation ou comportement antérieur. Même alors, les intentions sont agréables et jamais contraignantes. Ce sont des résolutions sans échéances précises – des rêves de ce qui pourrait être – elles sont différentes et excitantes.

Les intentions peuvent être une nouvelle façon d'embrasser la vie, une attitude positive, une série de folles caractéristiques que vous jugiez auparavant interdites ou inatteignables. Elles peuvent être formées d'un seul mot, ou encore d'une série de mots liés ensemble. Elles naissent de caractéristiques ou de qualités qui vous attirent, comme cela a été mon cas après avoir observé les phoques. Elles peuvent être des verbes, des noms ou des adjectifs; des attitudes, des actions ou des sentiments. Une intention peut même être une couleur.

Quels mots vous viennent à l'esprit? *Déterminée, résolue, sauvage, libre, drôle*? Ou peut-être *anticonformiste, pétillante, impétueuse, enjouée, amusante, coquine* ou *vulnérable*? Après avoir rempli une page entière avec des mots descriptifs, encerclez ceux qui vous attirent le plus, ces qualités que vous rêvez peut-être de vous approprier depuis longtemps. Il s'agira fort probablement d'attitudes que vous aviez lors de votre adolescence rebelle ou de votre enfance impétueuse, avant que l'on ne vous oblige à réprimer de tels comportements.

Plus tôt vous formulerez des intentions, plus tôt vous cheminerez sur la route qui vous guidera non seulement vers la matière première de celle que vous étiez jadis, mais aussi vers la force que vous possédez par nature et qui vous permettra de changer.

LA COURTEPOINTE ÉCLATÉE

Un autre exercice de partage très instructif que l'on peut faire avec d'autres femmes consiste à fabriquer une courtepointe éclatée. Chaque femme apporte de petits morceaux de tissu, de vieux vêtements, des brins de laine, de la dentelle, des souvenirs, des slogans – n'importe quoi pouvant lui rappeler tant des épisodes mouvementés que des moments merveilleux de sa vie. Assise à une grande table, chaque femme crée son propre carré en assemblant ces petits morceaux de tissu. Lors de l'assemblage, elle partage avec ses compagnes l'histoire qui se trouve derrière chaque morceau. Lorsque toutes ont terminé leur carré, elles les épinglent sur un grand canevas. La courtepointe peut alors être utilisée comme nappe lors de réunions, comme tapisserie murale, ou encore elle peut être transmise d'une créatrice à l'autre.

Clarissa Pinkola Estés croit que pour travailler avec des matières organiques : « il faut pour cela simplifier, rester proche des sensations et des sentiments plutôt que d'avoir tendance à surintellectualiser. Parfois, (…) il est utile de penser en des termes que comprendrait un enfant de dix ans. » Elle poursuit en expliquant que, partout en Méso-Amérique, le filage et le tissage étaient des moyens d'inviter l'esprit ou d'être informé par lui. « Il ne fait guère de doute aujourd'hui que l'on a jadis utilisé le filage et la fabrication de vêtements comme méthodes religieuses pour enseigner les cycles de la vie, de la mort et de l'au-delà. »[6]

La courtepointe éclatée est un exercice qui nous aide à regarder en arrière et à reconnaître tout ce que nous avons subi et traversé. C'est un exercice libérateur destiné à nous établir comme « dépositaires de notre culture ».

---

6. *Id.*, p. 667.

SAMEDI

La restauration du corps et de l'âme

Accentuez le silence, faites taire les voix

« À un moment donné, il est nécessaire de rejeter toute aide extérieure et de se concentrer sur notre propre force et nos propres ressources. Ce que nous cherchons nous cherche. »

ANONYME

Emparez-vous de la journée

« C'est une journée bigorneau », dis-je aux femmes qui sont réunies dans la salle de séjour de ma petite auberge tôt le samedi matin. Je tiens le petit coquillage rond dans la paume de ma main. « C'est une journée pour effectuer une spirale vers l'intérieur, tout comme le ferait un escargot dans sa coquille, pour être autonome et sereine, pour rédiger vos propres ordonnances et trouver votre centre. C'est une journée consacrée au silence et à la solitude, que vous commencerez seule et terminerez entière. »

Je ressens toujours de l'excitation le samedi d'une retraite, car j'aspire toujours au même silence, à la même solitude et à la même concentration que j'offre à ces femmes. J'ai aussi très envie de me plonger dans l'atmosphère lointaine du cordon littoral que nous nous apprêtons à arpenter, et aussi de fournir l'effort physique que nécessite cette aventure. Pendant que je parcours la pièce du regard, je constate que les femmes ont fait ce qu'elles ont pu pour se préparer à cette randonnée de 8 km dans les dunes. Elles ont revêtu des vêtements confortables, des chaussures de marche, un chapeau ou une casquette et ont appliqué le principe des pelures d'oignon.

Mais je sais que même si elles sont vêtues adéquatement, peu d'entre elles sont mentalement préparées à ce qu'elles vivront lorsque le bateau nous laissera à l'extrémité de South Beach – une pointe de sable d'une largeur de 45 m qui s'avance sur 8 km dans l'océan Atlantique. Dès que nous aurons terminé notre discussion matinale, nous parcourrons à pied une distance de 1,5 km jusqu'à un port minuscule, nous monterons à bord de deux petites embarcations qui nous conduiront à Monomoy Island, nous observerons des phoques en cours de route, et nous débarquerons pour notre randonnée en solitaire sur la plage. Pendant la majeure partie de la journée, chacune sera livrée à elle-même dans un environnement naturel peu familier. Donc, après le petit-déjeuner, j'essaie de les préparer mentalement et émotionnellement à cette journée.

« Nous avons assez souffert ; nous comprenons l'importance de la retraite ; nous avons fouillé notre passé pour nous trouver et rassembler nos forces. Aujourd'hui, nous recollerons les morceaux – de « seule », vous deviendrez « entière ». Vous repousserez les limites que vous vous imposez et découvrirez ce que ressent la femme tidale, celle qui accueille favorablement les hauts et les bas, qui regarde sous la couche de sable, qui chevauche les vagues et qui demeure dans le flux de la vie. Comme l'a dit Anne Morrow Lindberg, ce qui est fondamental à propos du voyage, c'est que nous, les femmes, devons grandir par nous-mêmes. Nous devons trouver notre véritable centre. C'est pour cette raison que la randonnée d'aujourd'hui se fera en solitaire. Résistez à l'envie de marcher avec une amie ou de vous arrêter pour bavarder.

« Lorsque vous vous permettrez d'être seule, vraiment seule, sans personne pour limiter vos pensées, vos sentiments et vos réactions, des idées et des désirs inattendus surgiront et prendront vie dans votre esprit. Saisissez-vous-en pour une fois, il n'y aura personne à vos côtés pour vous en empêcher. Aujourd'hui, j'espère que, en accentuant le silence et en faisant taire les voix, vous vous découvrirez une nature sauvage dont vous ne voudrez plus jamais vous départir.»

Une mer de regards intrigués me fixe et j'ajoute : «Je sens de l'anxiété chez certaines d'entre vous. Peut-être pensez-vous ne pas être suffisamment en forme, peut-être que vos genoux sont faibles ou que vous avez peur de l'isolement. Mais je sais que vous êtes venues ici pour vous mettre à l'épreuve et essayer quelque chose de nouveau. Comme me l'a dit Joan Erikson : «Lorsqu'on est seule, on trouve ce que l'on peut être.» On découvre jusqu'où on peut tendre, ce qu'on peut atteindre et jusqu'où on peut s'échapper, tout en apprenant à reconnaître ce qui est amusant et satisfaisant. C'est à votre tour de vous déployer et de vous échapper.»

Je sais que ces femmes n'assimilent que la moitié de mes paroles. La majorité d'entre elles sont incapables de se départir d'une inquiétude tenace. Sans s'en rendre compte, elles sont tout simplement nerveuses devant la perspective d'être seules et sans encadrement. Effectivement, dès que je me tais, des mains se lèvent partout dans la pièce. Elles veulent avoir davantage de détails pratiques. «Pouvez-vous me tracer une carte de la région ?» «Est-ce que le bateau naviguera sur une mer houleuse ?» «Comment faire pour ne pas nous perdre... surtout dans ce brouillard ?» «Combien de temps durera cette randonnée ?»

Certaines ont déjà avoué qu'elles craignent l'eau, qu'elles n'ont jamais appris à nager, ou qu'elles ont le mal de mer. Je leur parle de mon excursion sur le sentier des Incas et je leur décris la grosse crise d'anxiété dont j'ai été victime au tout début de la randonnée. Je leur explique que ce n'est que plus tard que j'ai compris ce que c'est de m'aventurer dans l'inconnu et de renoncer à tout contrôle dont j'avais eu peur.

Je dirais que la poète May Sarton avait également peur de l'aventure et de l'isolement. Son besoin d'être seule était toujours mis en balance avec la crainte de ce qui pouvait arriver lorsqu'elle entrait soudain dans un grand silence vide où aucun soutien ne lui était offert. Parce que c'est nous, les femmes, qui planifions souvent les aventures, nous avons de la difficulté à faire confiance à d'autres organisateurs. « Embrasser la grande liberté dont vous êtes sur le point de faire l'expérience est à la fois terrifiant et excitant. Mais pensez-y : la racine du mot aventure est « advent », qui veut dire « commencement », et tout commencement peut faire naître de l'anxiété. Reconnaissez-la, mais ne perdez pas de vue l'aventure. Je vous promets que vous serez récompensées par une myriade d'expériences exaltantes qui ne feront qu'aiguiser votre appétit pour l'aventure. »

Pour cette partie de la retraite, je me suis inspirée d'une expérience que j'ai faite il y a quelques années. Je poursuis en disant : « Pour celles d'entre vous dont les blessures sont profondes, il est extrêmement difficile de se débarrasser de la colère et de résister à l'envie de pointer un coupable du doigt. Mais la colère ne sert qu'à vous éloigner de vous-même. Cette randonnée a pour but de vous ramener à vous-même, comme elle l'a fait pour moi.

« Un jour, j'ai trouvé quelques affreuses lettres que mon frère avait écrites à ma mère et dans lesquelles il ne cessait de me critiquer. Bouillante de colère et d'un sentiment d'injustice, je suis allée faire une longue promenade sur cette même plage. À chaque pas, je me surprenais à dire : « Salaud ! Comment a-t-il pu ? » Il m'avait atteinte au cœur, et j'étais remplie de son venin. Voilà que je me trouvais à mon endroit favori, martelant le sable de mes pieds, et je me sentais comme une ombre, hantée et complètement détachée, même de ma propre personne.

« Finalement, je suis tombée à genoux, criant dans le vent : « Dieu. Donne-moi un signe qui m'indique que tu es avec moi, que je n'ai rien fait de mal. » Je me suis tue et j'ai écouté, espérant recevoir une réponse. C'est alors qu'un phoque a levé la tête au-dessus des vagues, directement devant moi et puis deux autres sont apparus. Je les ai regardés pendant qu'ils me regardaient, et puis une pluie légère s'est mise à tomber. Au lieu d'enfiler mon parka, j'ai laissé les gouttes tièdes mouiller mon corps. Je me sentais bénie, baptisée, même protégée et épaulée par quelque chose de plus grand que moi. J'avais été transportée au-delà de mon courroux. Soudain, mon frère et sa colère ont été balayés par la marée, et je me suis mise à sourire, remplie d'un sentiment de paix et de l'esprit des phoques.

« Plus tard, alors que j'analysais ce qui était arrivé, j'ai compris que je m'étais retrouvée dans ce lieu qui s'appelle le « je veux », plutôt que dans le « je suis ». Je voulais que mon frère reconnaisse et admette que je suis une bonne personne. Je voulais qu'il n'écrive plus de lettres aussi nulles. Je voulais que ses pensées et ses sentiments changent. Mais je ne pouvais rien faire au sujet de ses sentiments, des lettres ou de quoi que ce soit. Sous la pluie, avec les phoques, j'ai été capable de retourner dans ce lieu qui s'appelle le « je suis ». Oui, je suis triste. J'ai mal. Je suis lasse. Je suis trempée. Mais je suis également une personne bonne et compatissante, et c'est ce qui compte.

« Aujourd'hui, j'espère que vous trouverez un état de grâce similaire dans ce lieu retiré et naturel. Comme la majorité des femmes, South Beach a sa propre histoire de cassures et de réparations. Elle faisait autrefois partie d'un long cordon littoral qui protégeait l'ensemble du port de Chatham. Mais en 1987, un puissant vent du nord-est s'est levé et a sectionné la plage en deux. Pendant un certain temps, la ville et ses habitants ont été vulnérables. Mais pas plus. Comme une femme forte, la plage a survécu, chaque hiver lui apportant un peu plus de profondeur et de largeur. Avec le temps, de petites dunes se sont formées, créant des abris de toutes sortes pour la faune et, aujourd'hui, un abri pour vous.

« Lorsque vous descendrez du bateau et que vous vous tiendrez debout à l'extrémité de la plage, vous aurez l'impression d'avoir atterri sur la lune, il n'y a aucun signe d'activité humaine ou sociétale, aucune végétation plus haute que vos hanches, et la mer, le sable et le ciel se fondent l'un dans l'autre. Tout comme cette plage a su retrouver la vie, j'espère que vous le ferez aussi.

« Une fois sur la rive, trouvez un endroit qui vous appelle. Créez votre espace. Abandonnez-vous à la solitude et à l'immensité du lieu, et renoncez au contrôle. Plongez dans ce monde uniforme de temps continu, où les heures sans fin permettent la croissance à partir du néant. Redressez-vous et accrochez-vous à la solitude. Laissez-la amorcer la restauration de votre être. Certaines d'entre vous seront attirées par le martèlement des vagues, et d'autres rechercheront la tranquillité de la baie abritée, et d'autres encore choisiront de marcher tout droit au milieu de la plage, se frayant un chemin à travers les herbes hautes et épineuses, en contemplant le paysage changeant.

« En octobre dernier, Terri qui est originaire du New Jersey, est tout simplement descendue du bateau pour aussitôt se diriger vers la dune la plus proche où elle a fait la sieste pendant deux heures. Pendant la même retraite, Marcia, après avoir été captivée par la nature enjouée des phoques, a voulu être nue et libre. Débarquée la première, Marcia s'est dirigée à toute vitesse vers l'extrémité de la péninsule, où quelques phoques s'étaient rassemblés. Cérémonieusement, elle a retiré ses vêtements et les a posés sur le sable après les avoir soigneusement pliés. Ensuite, joignant les mains au-dessus de sa tête, elle a plongé dans la mer. Plus tard, elle a admis qu'elle avait été à un cheveu de renoncer, non pas parce qu'elle avait eu peur de l'eau à 12 degrés, mais qu'elle s'était sentie coupable à l'idée que son intrusion parmi la bande de phoques les ferait fuir, privant ainsi les autres femmes de l'occasion de les observer. Mais elle s'est reprise, sachant qu'elle s'était inscrite à cette retraite dans le but de cesser de s'inquiéter pour les autres. Elle devait faire le grand saut, vivre un moment uniquement pour elle, et cela en a valu la peine.

Faites le vide

« Aujourd'hui, vous vous rendrez dans un lieu où il existe peu de limites, où la voûte céleste danse avec la mer, où l'environnement, comme le jour, est infini. Ce sont là les bonnes nouvelles. Et voici pour les mauvaises : pour profiter au maximum du moment, vous n'aurez pas besoin de cartes ou d'horaires, mais vous devrez alléger vos bagages. "Il est impossible de gravir la montagne de votre nouvelle vie sans vider votre sac à dos de tout ce qui vous a toujours écrasée, m'a avertie Joan Erikson. Il vaut mieux voyager léger et laisser derrière soi tout bagage inutile."

« Pendant toute sa vie, Joan a pris soin de ne pas s'encombrer de choses telles que les regrets, les jugements, Harvard, les costumes ajustés, les collants, la dépression, la religion organisée et la perfection. Chaque fois qu'elle se débarrassait de quelque chose, elle faisait davantage de place dans sa vie pour la joie de vivre à laquelle elle aspirait.

« Nous devons faire le vide si nous voulons mettre au ralenti notre personnalité survoltée. "Faites le vide de manière à ce que l'âme grandiose de l'univers puisse vous remplir de son souffle", a dit le poète Laurence Binyon. Pendant l'année que j'ai passée au bord de la mer, j'ai méthodiquement « nettoyé la maison ». Je me suis débarrassée des relations toxiques, des routines abrutissantes, des poids morts, de mes kilos excédentaires et de la manie de vouloir plaire aux autres. Maintenant, le programme de mes retraites d'une fin de semaine inclut un moment consacré au délestage des bagages inutiles et des agendas.

« L'automne dernier, Mary Ann, 52 ans, a décidé d'enterrer les lunettes solaires qui lui avaient servi de masque pendant 20 ans ; Lucy, 38 ans, a rempli des bigorneaux avec de petits bouts de papier sur lesquels elle avait inscrit le nom des personnes dont elle n'avait plus besoin ou qu'elle ne voulait plus dans sa vie, et elle les a lancés, un par un, dans l'océan ; Joyce Ann, 45 ans, lasse d'être l'esclave de chiffres fluctuants, a mis son pèse-personne dans son sac à dos et est allée l'enfouir cérémonieusement dans le sable d'une grande dune à l'autre bout de la plage ; Pat a jeté par-dessus bord son épinglette de survivante du cancer parce qu'elle souhaitait que l'on voie en elle autre chose qu'une rescapée ; d'un même mouvement, Rebecca et Amy ont lancé au loin leur alliance ; Jane, 41 ans, a enterré une photographie d'elle-même, de son mari et de sa meilleure amie avec qui ce dernier avait eu une aventure ; et Barbara, bourreau de travail, a enterré son agenda entièrement noirci de l'année précédente et a pris la décision de quitter le monde des entreprises pour se lancer à son compte.

« C'est maintenant à votre tour. Prenez une demi-heure pour faire l'inventaire de ce dont vous devez délester votre vie. Les questions qui suivent pourront vous guider dans cette tâche. »

Allégez votre fardeau

- De quels bagages mourrez-vous d'envie de vous débarrasser ?

- Comment pourriez-vous alléger votre « fardeau psychique » ? Autrement dit, quelles obligations, activités « imposées », responsabilités ou pressions négatives pouvez-vous laisser tomber ?

- Qui ne devrait plus faire partie de votre vie ?

- Quelles voix négatives aimeriez-vous faire taire, qu'elles soient un écho de votre passé ou qu'elles fassent partie de votre présent ?

Cet exercice est la clé de la restauration, vous devez créer une palette vierge et commencer à faire de la place pour ce qui compte vraiment pour vous dans une journée et dans votre vie. Je vous encourage à suivre l'exemple de Lucy et à faire une cérémonie de cet exercice. Allumez un feu et lancez votre liste dans les flammes ; déchirez votre liste en menus morceaux et faites-les partir dans les toilettes ; répandez des graines pour oiseaux dans le parc et, en même temps, lancez mentalement en l'air votre liste ; rendez-vous au dépotoir avec un sac rempli de bouteilles et cassez-les délibérément une par une. L'important est de vous engager envers vous-même à débarrasser votre psyché de tout bagage inutile.

Un heureux hasard

Et c'est ainsi que commence une autre randonnée sur la plage. Il y a l'agitation soudaine de dernière minute alors que les femmes s'emparent de bouteilles d'eau additionnelles, courent aux toilettes et puis entreprennent la balade de 1,5 km jusqu'aux bateaux qui nous attendent. Le jour gris et glauque est parfait, un canevas vierge, comme le métier à tisser encore vide de Joan, n'attend qu'à être couvert de couleurs.

Le court trajet, qui se fait habituellement en 15 minutes, nous prendra 2 fois plus de temps aujourd'hui à cause d'un épais brouillard. Mais des circonstances mystérieuses ne servent qu'à mettre en valeur une aventure. À bord du bateau, je me suis adossée à mon siège et j'ai laissé l'air brumeux et réconfortant caresser mon visage, son humidité agissant comme une boisson fraîche sur ma peau sèche. Je constate que tout va bien en regardant autour de moi les visages remplis d'attentes, et je suis profondément persuadée que cette expérience et la randonnée d'aujourd'hui sauront pénétrer dans les âmes même les plus endurcies.

Soudain, j'entends un halètement, toutes les têtes tournent à tribord et la magie commence : un groupe de phoques nage sur place et nous souhaite la bienvenue sur son territoire ! Leur présence provoque une décharge sur le bateau où la majorité des femmes étaient assises, immobiles et silencieuses. On dit que le simple fait de plonger le regard dans les yeux d'un phoque provoque quelque chose de surnaturel. Les phoques m'ont aidée à comprendre ce qui manquait dans ma vie : la vulnérabilité, l'écoute de mon corps, la joie de vivre, le mystère, le fait de ne savoir rien faire dans la maison, pour ne nommer que quelques éléments. Je suis toujours curieuse de voir ce que les femmes à qui je fais faire cette excursion vont découvrir. Bien que le capitaine de notre petite embarcation nous donne quelques informations de base sur ces ravissantes créatures, nous savons toutes qu'il s'agit d'un voyage spirituel, et non d'une sortie éducative organisée par la Société nationale Audubon.

L'énergie des phoques est immédiatement contagieuse. Ils sont séduisants et donnent envie à chacune d'entre nous de plonger et de nager avec eux. En tout cas, leur curiosité innocente et spontanée, ainsi que leur nature enjouée, font toujours en sorte que je me sens réceptive et prête à affronter le reste de la journée. D'autres créatures sauvages viennent également participer au tableau. Plusieurs mouettes plongent et se querellent pour un même poisson, et des cormorans s'envolent d'un banc de sable non loin, et puis un soleil rond perce les nuages mouvants et nous offre sa lumière pendant un moment. Cela laisse planer l'espoir d'une journée lumineuse, et nous plissons les yeux afin d'apercevoir notre destination finale.

Alors que nous approchons de l'extrémité de South Beach, les femmes sont prêtes à tout ce qui viendra ensuite, à tout, sauf au débarquement. Je les avais averties qu'elles devraient se mouiller les pieds (et non seulement au sens propre), mais quelques-unes d'entre elles semblent surprises lorsque je leur dis de retirer leurs chaussures et de rouler leur pantalon. Alors que le bateau termine sa course dans le sable, elles se hissent par-dessus bord et se hâtent de franchir dans l'eau glacée les huit mètres qui les séparent de la rive, mais elles le font en riant, heureusement.

Une fois sur la terre ferme, elles se déplacent dans la brume, les épaules basses, les yeux grands ouverts, des sourires venant adoucir leurs visages auparavant inquiets ou austères. Je suis certaine qu'elles trouveront leur place dans ce paysage, cette plage nue sur laquelle elles pourront écrire leurs espoirs et leurs rêves. « Développez une nouvelle attitude, dis-je dans un murmure. Voyez comme la vie peut être revigorante lorsqu'il n'y a pas de limites. »

Une chose est certaine : il y aura des larmes. Marilyn, une femme qui a participé à une retraite antérieure, croyait ne pas avoir besoin d'un tel week-end, mais elle avait tout de même cédé devant l'insistance d'une amie. Elle avait commencé la randonnée d'un pas déterminé et rapide, comme elle le faisait sur sa plage préférée à Long Island. Soudain, elle a entendu la voix douce de sa mère, décédée depuis 15 ans. « Là, là, a dit la voix. Ralentis. Reste tranquille. Tu avances trop vite. Tu n'a pas besoin d'aller jusqu'au bout. Là, là. »

Marilyn s'est figée. Jusque-là, elle avait eu l'intention d'en finir au plus vite avec cette satanée randonnée, mais après cette intrusion inattendue, elle a senti son corps se ramollir. Tout le stress qu'elle avait laissé derrière elle – le mariage imminent de sa fille, la grossesse difficile de son autre fille, et un mari en convalescence suite à une chirurgie à cœur ouvert – a soudain disparu. Peut-être que sa mère lui disait que, après tout, elle était ici à sa place. Marilyn s'est dirigée en trébuchant vers un rondin échoué, s'y est assise, et s'est mise à sangloter. Elle n'avait jamais eu le temps de pleurer la perte de sa mère. De fait, elle n'avait pas eu le temps de sentir quoi que ce soit, jusqu'à maintenant.

Cathy, une autre participante de 45 ans, a également trouvé le réconfort dans les larmes pendant sa randonnée sur la plage.

> *« Le brouillard était si dense que c'est à peine si on y voyait quelque chose. Et pourtant, ce brouillard était parfait. C'est ainsi que j'avais vécu ma vie, perdue dans la brume. Mais ce jour-là, je n'étais pas perdue. Cette fois, j'avais une destination, une trajectoire. Chaque pas en avant était un pas qui m'éloignait de mon passé et de tous les masques et les craintes qui l'accompagnaient. J'ai laissé autant de tristesse que j'ai pu dans chaque empreinte que je creusais dans le sable, appuyant bien fort pour y laisser une marque profonde.*

> *« Pendant que je marchais, j'ai trouvé une arête de poisson qui ressemblait à un masque. Je me répétais et répétais que les masques n'étaient plus pour moi. C'est alors que les larmes se sont mises à couler, et que j'ai entendu ma voix dans le silence : "Ça va, laisse-toi aller, Cathy, abandonne-toi." Et puis, j'ai eu le sentiment que commençait ma guérison. Le phare est apparu au loin pour me guider. »*

D'autres femmes sont emportées par un sentiment de légèreté, comme Maria.

> *« Après que Joan m'a dit que je ne revivrais jamais cette journée, j'ai décidé d'en profiter au maximum, afin de voir jusqu'où je pouvais étirer le temps. Au lieu de me hâter vers la ligne d'arrivée, j'ai flâné, dormi, nagé, écrit, joué, dessiné et j'ai même tracé la plus incroyable des sirènes dans le sable, y ajoutant des algues en guise de chevelure, lui faisant de gros seins et lui ornant le cou d'un collier de coquillages. Je n'avais pas joué dans le sable depuis l'enfance.*

> *« J'ai goûté la facilité avec laquelle le sable glissait entre mes doigts, et puis soudain je me suis retrouvée avec cette splendide femme libre à mes côtés, je l'avais modelée, tout comme je me remodelais. J'ai pris une photo de mon œuvre avant*

de rebrousser chemin, me sentant plus légère à chaque pas
que je faisais. Le temps s'était arrêté et c'était tout un événe-
ment. Je ne l'ai réalisé pleinement que lorsque je suis rentrée
à l'auberge où tout le monde était en train de boire un
cocktail! "Où étais-tu ?", m'a-t-on demandé. Et j'ai répondu :
"Je viens de vivre le plus beau jour de ma vie". »

Je me demande alors quelles seront les histoires des femmes
de ce groupe. Les hasards heureux feront leur magie. De nouvelles
impulsions feront surface, et le processus de restauration commencera.

Les offrandes de la mer

Cinq heures plus tard, je suis assise sur la véranda et j'attends
le retour des femmes. Elles apparaissent l'une après l'autre au bout
de la rue, avançant lentement vers moi. Certaines semblent être
envoûtées, d'autres plutôt débraillées, et d'autres encore légères,
presque aériennes. Leurs bras sont remplis de reliefs de la mer : des
bouées, des morceaux de bois flotté aux formes étranges, du fil à
pêche et des bouts de corde. Dieu seul sait ce qu'elles retireront
encore de leur sac à dos. Leur visage est couvert de sueur et
brûlé par le vent, leurs yeux sont brouillés de rêves ou remplis
d'étincelles.

Je leur fais un signe de la main et elles accélèrent le pas,
impatientes d'ouvrir les sacs-repas de papier brun qui sont empilés
à côté de moi. Et puis, alors qu'elles engloutissent leurs sandwichs,
elles commencent à parler de leur journée, de la plage, du sable doux
et des vagues. Elles vident leur sac, se saisissent de leur journal
déchiré, d'un coquillage ou d'un caillou qui a pris une signification
particulière pour elles. Elles sont étonnées par leur poésie, leurs
pensées originales, les moments d'émerveillement qui se sont
enchaînés. Une fois que la majorité des femmes sont rentrées au
bercail, nous passons la journée en revue.

« Eh bien, la randonnée d'aujourd'hui a été différente, même
pour moi, dois-je admettre. Là-bas, sur cette pointe glaciale et

brumeuse, je me suis sentie désorientée, et même inquiète. Et puis, j'ai pensé : Comme c'est merveilleux. Quelle expérience extraordinaire pour des femmes trop prudentes. D'une certaine manière, nous pensons toutes que nous devons survivre pour nos enfants, notre famille, on nous a enseigné à faire preuve d'une telle prudence. C'est bon, après tout, d'être désorientée et obligée de sortir de notre zone de confort. »

Personne ne manifeste son désaccord. « Donc, voilà ce que j'ai découvert aujourd'hui. Et vous ? »

Susan, venue de Californie, parle la première.

« J'ai érigé tant de barrières contre moi-même, mais aujourd'hui, sur la plage, ces murs se sont écroulés. Je me suis sentie seule, mais non isolée. Il n'y avait personne auprès de qui me justifier et personne de qui prendre soin. Il n'y avait que moi, et c'était extraordinaire. »

Bethany, du Michigan, parle ensuite.

« J'ai rapporté ces trois coquillages. Le premier est gros et rond et, lorsque je l'ai vu, j'ai pensé au bigorneau que Joan nous a montré ce matin. J'étais tellement heureuse, car j'ai senti que j'avais trouvé le signe parfait. Mais lorsque je l'ai retiré du sable, j'ai vu qu'il était brisé et ébréché, et pas du tout comme celui de Joan. Et puis, j'ai aperçu une palourde en parfait état. J'ai voulu ce coquillage parce qu'il dégageait beaucoup de force. Mais lorsque je l'ai ramassé, il s'est effrité dans ma main.

« Finalement, j'ai vu ce dernier coquillage. Il est tellement ordinaire vu de l'extérieur, tacheté de gris et irrégulier. Mais lorsqu'on le retourne, il est couvert de couleurs chatoyantes. J'ai alors compris que j'avais reçu le message que j'attendais. Il faut que je me retourne, que je trouve mon côté coloré, chatoyant, et que je me nourrisse de sa beauté. Il faut que je trouve une nouvelle façon de me voir, imparfaite et parfaite. »

Et puis, Gail dit :

« Moi aussi, j'ai ramassé un coquillage. Lorsque je l'ai vu, j'ai pensé : Comme il est beau et parfait. C'est ce que je pensais également de mon mari, Brian. Je ne m'aimais pas, et cela, depuis des années. Mais je pensais qu'il était parfait. Même après qu'il m'a quittée, j'ai continué à croire qu'il était parfait. Lorsque j'ai ramassé ce coquillage, j'ai vu qu'il était percé. Et je me suis dit que Brian n'était pas parfait. J'ai marché pendant un moment avec mon coquillage, jusqu'à ce que je réalise soudain que je ne souhaitais pas transporter Brian avec moi. Mais lorsque j'ai voulu lancer le coquillage au loin, j'ai senti mon bras faiblir et le coquillage est tombé à mes pieds.

« C'est alors que j'ai compris que le problème n'avait rien à voir avec le coquillage, ni même avec Brian, soit dit en passant. Le problème, c'est que lorsque j'avais vu ce coquillage, j'avais pensé à lui et non à moi. J'ai compris que lâcher prise, c'était voir des reflets de moi-même dans le monde qui m'entoure, et non toujours des signes de Brian. J'ai donc ramassé de nouveau le coquillage et je l'ai rapporté pour me rappeler que je peux être aussi belle que lui, même avec tous mes défauts. »

L'analyste jungienne Marion Woodman a écrit : « Notre corps aime les métaphores, car elles unissent le corps et l'âme au lieu de les abandonner dans un état où l'âme est absente. » Je suis étonnée de la facilité avec laquelle les femmes font la démonstration de la vérité de cet énoncé, de la facilité avec laquelle elles ont réagi à la plage. Leurs témoignages se poursuivent.

Colleen, l'une des femmes qui, au départ, ne voulait pas faire cette randonnée, partage son triomphe avec le groupe.

« Au début, je suis demeurée sur la rive. Je me suis contentée de prier, et j'ai senti ce pouvoir naître en moi, une force qui m'a aidée à faire ce que je voulais vraiment faire : la

randonnée tout entière. J'ai marché seule pendant un bon moment, tout simplement heureuse d'avancer et déterminée à ne pas abandonner. Mais j'avais encore peur de ne pas y arriver, et de mourir seule dans les dunes. Et puis j'ai trouvé ces trois bouées liées ensemble. Voici mes bouées de secours, me suis-je dit. Je les ai donc ramassées et rapportées ici. Je les ai tirées derrière moi, et j'ai senti que j'étais forte.

« J'ai pensé : "Regarde-toi. Tu transportes toi-même ta propre bouée de sauvetage." À un moment donné, j'étais passablement trempée et transie, et les bouées m'ont paru lourdes. J'ai été tentée de les laisser sur place, je me sentais gagnée par le découragement. Mais j'ai alors entendu cette femme qui riait. Jill est apparue à côté de moi ; elle riait aux éclats. Elle m'a dit qu'elle avait suivi mes traces dans le sable. Elle m'a offert de m'aider à tirer les bouées, et j'ai soudain réalisé que j'étais capable de le faire seule. Jill a marché devant moi, et j'ai suivi son rire jusqu'ici. »

Sonya a vu un signe dans un bout de corde.

« Elle était emmêlée et formait un nœud. Je me suis dit : "Eh bien, elle est comme moi. Son infrastructure est trop complexe". »

Deborah a admiré les oiseaux.

« J'ai remarqué que les mouettes volaient face au vent, qu'elles ne tournaient pas le dos aux difficultés et que, ainsi, elles se servaient du vent pour s'élever encore plus haut et aller plus loin. »

Eileen a échangé son chagrin contre des coquillages.

« En descendant du bateau, je me suis dit : "Je vais faire cette randonnée et je ne me sentirai coupable envers personne." Et j'ai marché, marché sans m'arrêter. Mais la culpabilité est un sentiment habituel chez moi, et bientôt j'ai glissé dans le *mode du : "Aucun coquillage ne doit être laissé derrière moi". Mon sac est donc devenu de plus en plus lourd. Au début, j'ai ramassé des coquillages gros comme des bols à soupe, et puis de plus en plus petits, car j'avais de moins en moins de place dans mon sac. À un moment donné, j'ai dû arrêter et me débarrasser de tous ces coquillages. Cela a été vraiment difficile. Je suis restée debout pendant un moment, émerveillée par la façon dont j'avais réussi à me débarrasser de ma culpabilité, mais voilà que je me sentais coupable d'abandonner des coquillages derrière moi. Cela m'a fait comprendre à quel point j'étais ridicule.*

« J'ai donc décidé de faire du lâcher-prise un rituel. J'ai tiré mon sac jusqu'au rivage et j'ai lancé les coquillages par poignées dans les vagues juste au moment où elles venaient se briser sur le sable. Je suis revenue avec un sac vide et une absence totale de culpabilité. Je me sens comme une nouvelle femme ! »

L'une après l'autre, elles ont parlé d'ouverture – tout comme la plage elle-même s'était ouverte à un endroit, créant un canal où elles avaient dû s'aventurer. C'était un phénomène inhabituel qui s'était récemment produit pendant une tempête et auquel je ne les avais pas préparées. Un grand nombre d'entre elles y ont vu un signe – qu'elles étaient maintenant prêtes à accueillir favorablement l'inattendu, que la vraie vie se déroule en fait à l'extérieur de ce que nous avons planifié ou même imaginé, et que c'est ce qui avait rendu aussi exaltante cette randonnée sur la plage. Carla a observé l'eau tourner sur elle-même dans ce canal et a senti que ses pensées changeaient.

« Pendant toute la première moitié de la randonnée, je vivais un fantasme. J'avais l'impression de fuir ma vie. Et puis, je suis arrivée au canal, et j'ai vu l'eau qui tournait sur elle-même. J'ai réalisé que je marchais de nouveau vers ma vie. Je me suis arrêtée et me suis assise pendant un moment, jusqu'à ce que mon esprit se fasse à cette idée, jusqu'à ce que je sache si c'était bien dans cette direction que je souhaitais

*aller. Lorsque j'ai été prête, je me suis levée et j'ai marché
d'un pas lourd, mais résolu vers le phare. »*

Alors que se poursuit la discussion et que le soleil décline à l'horizon, il apparaît clairement qu'en osant dépasser leurs anciennes limites, ces femmes ont beaucoup appris à leur propre sujet. Je me dirige vers le tableau et j'y note la nouvelle série de règles que ces femmes commenceront à intégrer à leur vie. Je les appelle des «bouées de sauvetage pour le changement». *Passer à l'action. Vivre l'aventure. Affronter la peur. Saisir le moment présent. Supporter l'isolement. Se dépasser.*

Je ne saurais préciser le nombre de fois où les commentaires sceptiques ont fusé: «Comment tout cela a-t-il pu se produire en seulement 5 heures?» Je réponds: «Il est étonnant de constater ce qui peut arriver à une femme qui trouve du temps pour elle-même.» Le simple fait d'entreprendre une randonnée en solitaire, quelle que soit la distance parcourue, ne peut faire autrement que générer une gamme d'émotions, de nouvelles motivations et d'idées originales.

De plus, il s'agit d'une expérience inoubliable. De nombreuses participantes m'ont raconté comment cette randonnée continue à influer sur leur vie.

« Je n'étais plus la même lorsque je suis rentrée à la maison. D'une certaine façon, je me sentais plus confiante. Mais c'était même plus que ça. C'était comme si une partie de moi-même s'était éveillée après un long sommeil. Jusque-là, j'avais été éparpillée. Toutes ces parties de moi – la conjointe, la mère, la fille, l'amie – étaient là, mais il y avait également des trous béants dans mon être. Où étaient les pièces manquantes? J'étais terrifiée en pensant à ce que seraient ces pièces et au moment où je les découvrirais. Pis encore, était-il vraiment possible de les trouver?

« Pendant la randonnée, j'ai dû m'exhorter à me détendre. J'avais froid, j'étais désorientée et confuse, et ce satané phare

me semblait beaucoup trop éloigné. Mais j'ai alors adopté une attitude de battante. La marée a descendu, dénudant le rivage, et le sable ferme tout à coup m'a permis d'avancer plus aisément et j'ai commencé à marcher. J'ai réalisé que quels que soient les obstacles qui se dressent sur ma route, je suis capable de les contourner.

« Nous ne sommes pas, ni ne devrions jamais être uniquement des fragments de nous-mêmes, et pourtant il semble que nous ne prenons jamais le temps de trouver les pièces manquantes ou de relier les points comme nous le faisons, enfant, dans ces cahiers de jeux. Combien amusant c'était que de voir apparaître un personnage sur une page au départ couverte de points. Cette randonnée sur la plage m'a permis de relier les points. J'ai trouvé plusieurs des pièces qui manquaient à mon puzzle. En rentrant à la maison, j'étais déterminée à achever cette tâche, peu importe le temps que me prendraient mes recherches ou les efforts que cela nécessiterait. »

Donc, pendant que nous dégustons un verre de vin et observons le coucher de soleil peindre l'immensité du ciel, je lève mon verre à ces pèlerines : « Vous avez franchi un seuil et vous êtes maintenant sur la voie qui vous permettra de connaître une vie bien remplie. »

Une chasse au trésor pour votre âme

Un psychiatre m'a dit un jour qu'il était impossible d'être dépressive si l'on est active. Le moine Thomas Merton a composé une variation sur le même thème lorsqu'il a dit : « On ne peut être névrosé devant une forêt. » En effet, il y a longtemps que j'ai compris que la nature alimente l'âme de la femme. Elle donne rarement des réponses directes, mais elle nourrit, apaise et abreuve l'âme, et stimule en définitive la croissance.

Des lieux forts, silencieux et naturels ont le pouvoir d'adoucir nos bords tranchants. Dans la forêt, sur une mésa, au bord d'un étang, sous une cascade, au sommet d'une montagne, la confusion, la rage et le chagrin disparaissent. « À l'esprit tranquille, l'univers tout entier se soumet », a dit Lao-tseu.

Où iriez-vous pour un séjour prolongé en solitaire dans la nature ? Pensez à un environnement aussi naturel, dépaysant et vaste que possible. Il est préférable que ce soit un endroit où vous n'avez jamais mis les pieds et que vous n'ayez jamais fait un voyage similaire auparavant. Votre périple ne doit pas nécessairement être exténuant, mais il doit vous soustraire à votre milieu pendant un certain temps. Je vous suggère de prévoir vous éloigner et être active pendant au moins quatre heures.

Vous devez vous donner le temps de faire véritablement l'expérience d'un début, d'un milieu et d'une fin. Il n'y a pas de raccourci pour qui veut restaurer son âme. Vous devez prendre le temps de trébucher et de vous relever, de vous reposer avant de continuer, de vous asseoir sous un arbre, de vous attarder dans une grotte avant de revenir à la lumière du jour. L'intensité du voyage se manifeste toujours à mi parcours, lorsque votre corps est fatigué, que les éléments se déchaînent et que vous vous mettez à espérer que les secours arrivent. Comme le dirait Joan Erikson : « C'est dans l'adversité que l'on grandit. »

Aimeriez-vous marcher dans le désert jusqu'au sommet d'une mésa, parcourir une section d'un sentier célèbre, faire du ski de fond pendant toute une journée, du kayak et du portage, du camping et passer une nuit en forêt ? Comme pour la randonnée sur la plage, exhortez-vous à partir seule. Si une amie vous accompagne, veillez à vous réserver au moins deux heures de solitude. Plus vous passerez de temps seule, mieux cela sera. Tout au long de cette escapade, laissez votre esprit vagabonder. Marchez, courez, explorez, communiez avec la nature et savourez le silence. Si une idée ou un objet s'impose soudain à vous, vous hante, trouvez ce que cela peut vous offrir. Ces heureux hasards viendront attiser votre joie de vivre.

Avant de partir, mettez un carnet dans vos bagages. Glissez-y la liste des choses à faire pour mieux vous intégrer à l'environnement choisi. Une fois bien installée, sortez votre journal et lancez-vous dans une chasse au trésor pour votre âme. Cherchez :

- Un objet qui semble parfait ;

- Un caillou qui vous parle ;

- Un son qui vous fait vibrer ;

- Un spectacle inattendu ;

- Une créature vivante ;

- Un objet qui en contient un autre.

Réfléchissez à chaque élément que vous découvrez. Que peut-il vous apprendre sur votre vie, vos sentiments, vos buts ? Cette chasse au trésor vous aidera à vivre le moment présent, à jouir de l'environnement dans lequel vous vous trouvez, et à faire abstraction de la réalité du quotidien lorsqu'elle tentera de reprendre le dessus.

Laissez ces pensées vivre en vous avant de rentrer à la maison.

La quête d'une vision des Navajo

De nombreux Amérindiens qui veulent entrer en communication avec leur moi intérieur quittent leur village et s'enfoncent dans la nature en quête d'une vision. Ils trouvent un endroit qui leur parle, ramassent des pierres et les disposent en cercle et puis s'assoient au centre de cet espace pendant 24 heures afin d'être à l'écoute de ce que leur cœur, ou le Grand Esprit, a à leur dire.

Quelque chose à propos de cette approche m'a séduite et poussée à créer ma propre version de cette « quête d'une vision » pendant l'année que j'ai passée au bord de la mer. J'ai trouvé un merveilleux endroit dans une section isolée de la plage locale. Il y a avait des pilotis sur lesquels s'adosser, et j'ai pris l'habitude de m'y rendre une fois par semaine. À l'aube du jour désigné, je marchais lentement vers cet endroit, je ramassais des coquillages en cours de route et je les disposais en cercle près des pilotis. Une fois à l'intérieur de « mon espace », assise les jambes croisées, j'y restais environ 30 minutes, écoutant ma respiration et puis respirant au rythme de l'océan, faisant le vide dans mon esprit et me concentrant sur les sons et les odeurs. En l'espace de 10 minutes ou moins, mon attention était toujours attirée par un mot, une intention, un penchant ou quelque chose qui donnait un sens à ma journée et à la semaine à venir. Après m'être perdue dans cet espace psychique, je revenais à la réalité, fraîche et dispose et spirituellement informée.

Je propose cet exercice aux femmes qui se sont inscrites à une retraite pour les aider à se centrer avant d'entreprendre la randonnée sur la plage. Une femme m'a avoué qu'elle avait de la difficulté à rester assise tranquillement et que lorsqu'elle se trouvait sur une plage, elle trouvait très difficile de ne pas marcher. Toutefois, elle a suivi mon conseil, a dessiné un cercle sur le sable et s'est assise au milieu de celui-ci. Pour la première fois depuis longtemps, elle s'est sentie en sécurité dans son propre espace, protégée des autres par la frontière qu'elle avait dessinée sur le sable, et elle a été capable de se concentrer comme jamais elle ne l'avait fait.

Alors que nous comprenons mieux que la véritable connaissance ne peut venir que de l'intérieur, la « quête d'une vision » est un moyen de nous assurer que nous demeurons sur la bonne voie.

RÉSUMÉ DE FIN DE CHAPITRE

➡ Allégez votre fardeau;

➡ Vivez une aventure en solitaire;

➡ Acceptez les métaphores de la nature;

➡ Emparez-vous de la journée.

UN MOMENT DE SILENCE

Je ne m'étais pas rendu compte à quel point les femmes ont besoin de silence avant de commencer à animer des ateliers d'une journée un peu partout au pays. Ces journées sont un amalgame de mes conférences et d'exercices de création. Les lieux varient – églises, colonies de vacances, salles de conférence dans des hôtels et même la serre d'une pépinière – mais au milieu de chaque atelier, il y a un «voyage» en solitaire obligatoire d'une demi-heure. Ce moment de silence ne peut reproduire la randonnée sur la plage du samedi, et souvent seule une fougère en pot peut rappeler la nature dans un hall d'hôtel. Mais pendant l'année que j'ai passée seule, j'ai compris que le silence est un ami précieux.

Lorsque nous gardons le silence, nos sentiments progressent naturellement, nos pensées se mettent en ordre, et nous pouvons entendre nos rêves. De nombreuses femmes, cependant, ont peur du silence. Pour elles, il est associé à l'isolement et à la solitude, ou il va à l'encontre de la valeur qu'elles accordent à leur dévouement pour autrui, ou encore il fait tomber les murs qu'elles ont érigés autour de leur douleur. Trop de femmes ont besoin d'être incitées à se plonger dans le silence et, donc, peu importe le lieu, je demande aux participantes de s'isoler non loin et de trouver un lieu, un mot ou une métaphore qui décrit leur vie.

Récemment, lors d'une retraite dans une église, j'ai demandé à 300 femmes de quitter le sanctuaire et de trouver un endroit paisible. Elles se sont levées sans un bruit. Certaines se sont dirigées vers l'autel; l'une est allée s'asseoir au piano; une autre est montée dans le jubé. Certaines ont revêtu leur parka, ont pris leur parapluie (il pleuvait) et sont allées faire une promenade; d'autres se sont rendues à l'école du dimanche, et d'autres à la garderie où elles se sont assises sur de petites chaises ou sur le sol du vestibule plongé dans la pénombre. Quel que soit l'endroit où elles avaient choisi de se tapir, aucune ne souhaitait revenir après seulement une demi-heure. Elles n'étaient pas encore prêtes à abandonner leurs pensées, leur cachette, leurs nouvelles intentions, ou le silence.

Il n'est pas nécessaire de trouver un banc magnifique ou une immense montagne ou les étendues de roc rouge de Sedona pour donner une nouvelle direction à votre vie. Pour la plupart d'entre nous, une demi-heure de silence meublé par nos pensées fait l'affaire.

CE QUE J'AI TROUVÉ SUR LA PLAGE

« J'ai trouvé un morceau bois de marée noueux dans lequel s'était incrusté un coquillage. Je suis ce coquillage, parce que je me suis laissé emprisonner dans l'écheveau des exigences des autres. »

« J'ai trouvé un vieux limule, sa coquille lestée d'anatifes, qui avait été incapable de s'arracher du sable et de partir avec la marée, qui était resté sur le rivage pour y mourir. Je suis moi-même arrivée lestée d'anatifes. Alors que je marchais après avoir découvert ce noble coquillage, j'ai commencé à détacher les petits crustacés qui s'étaient accrochés à moi pour ne pas rester coincée sur le rivage et y mourir. Je me suis défaite des voix nocives, des amis tristes, de la peur de l'échec, du mépris que j'ai pour mon corps, et de bien d'autres choses. Cela sera une tâche continue jusqu'à ce que je sois entièrement débarrassée de tous mes parasites. »

« J'ai ramassé une magnifique conque évidée et je l'ai posée contre mon oreille pour y entendre le bruit de la mer, tout comme je le faisais lorsque j'étais enfant. J'ai dû faire un effort pour l'entendre à travers les cris des mouettes, le hurlement du vent et le roulement sauvage des vagues. C'est ainsi que j'ai commencé mon apprentissage visant à entendre ma propre voix et à faire à tout prix abstraction de celle des autres. »

« J'ai été attirée par des algues, des piles de cordons verts et veloutés tous emmêlés les uns aux autres. Au début, j'ai pensé à quel point j'étais moi-même emmêlée, mais je me suis ensuite concentrée sur les algues elles-mêmes. Elles sont riches et fertiles. Certaines personnes en ramassent et s'en servent dans leur jardin. Être emmêlée dans une aussi "bonne médecine", de bonnes personnes, de bonnes idées, me gardera à jamais riche et fertile. Ce sont les algues séchées et les coquillages brisés qu'il faut que j'évite. »

« J'ai trouvé un amas de petites palourdes, toutes collées les unes aux autres et dégageant une odeur pourrie. Ah !, ai-je pensé, si nous nous cramponnons l'un à l'autre, les relations deviennent malsaines. Je préfère voler librement, comme les mouettes, là où me porte le vent. »

« J'ai regardé le sable mouillé et j'y ai vu des centaines d'empreintes de pattes de mouettes, allant dans toutes les directions. J'ai souri, car elles m'ont fait penser à mes propres empreintes – j'ai tant de choses à faire et je m'éparpille dans toutes les directions. Au milieu de ces empreintes, j'ai remarqué un caillou à moitié enfoui dans le sable et en forme de cœur. Il était là pour me rappeler qu'il fallait que je prenne soin de moi. »

Corps et âme

*« Nous avons un problème lorsque nous négligeons
ce qui compte le plus pour nous. »*

PAULA REEVES

Bougez

Après la longue randonnée sur la plage et la discussion qui suit,
je me sens habituellement tout à la fois transportée de joie et
tourmentée – transportée de joie par le nombre de femmes qui
semblent s'être transformées et être sorties grandies de cette expérience, et tourmentée par le fait que certaines d'entre elles n'ont pas
réussi. Je peux sentir l'angoisse existentielle qui les habite alors
qu'elles écoutent les autres parler de leurs découvertes, et je sens
qu'elles sont déçues de leur performance, qu'elles éprouvent même
parfois de la honte parce qu'elles sont restées à l'écart. Ce sont celles
qui ont choisi de demeurer à l'auberge, qui ne sont pas descendues
du bateau et qui sont rentrées après avoir vu les phoques, ou qui ont
fait la randonnée mais sans s'y abandonner. Leurs raisons varient :
elles ne se sentaient pas suffisamment en forme, elles étaient handi-
capées par leur poids, elles étaient indisposées. Il n'en demeure pas
moins que toutes ces femmes ont été incapables de se faire confiance,
physiquement ou mentalement.

La randonnée sur la plage est un test, un test physique qui oblige les femmes à se faire confiance dans un lieu sauvage, isolé et peu familier, à mettre leur endurance à l'épreuve, et à entreprendre un voyage qui exclut tout demi-tour. Elle est conçue pour tester leur habileté à ouvrir leur âme à l'inconnu, à une expérience qui n'offre ni limite ni contrôle, et à la solitude. Mais plus que tout, elle est conçue pour mettre leur corps à l'épreuve.

Pendant cette randonnée sur la plage, on ne peut faire autrement que de prêter attention à notre corps. Notre cœur bat la chamade. Notre pouls s'accélère, nos jambes deviennent de plomb alors que nous peinons dans le sable, nos chaussures et nos vêtements deviennent lourds et mouillés par l'embrun, et notre corps frissonne sous le souffle du vent. Pourquoi faire une telle randonnée? Parce que, plus que tout, cette excursion longue et ardue oblige la femme à affirmer ses capacités émotionnelles et physiques. Et comme le disait Joan Erikson: «Afin de ne pas échouer, vous devez en fin de compte pouvoir compter sur vous-même et savoir que vous êtes capable de surmonter les obstacles.»

Je suis toujours étonnée de constater à quel point les femmes se sentent plus à l'aise à l'idée de tester leur forme émotionnelle, d'ouvrir leur cœur et leur esprit à de nouvelles idées, que de mettre leur corps à l'épreuve. Pour de nombreuses femmes, la seule perspective de marcher sur la plage est décourageante et les fait douter d'elles-mêmes. Toutefois, pendant l'année que j'ai passée seule au bord de la mer, j'ai réalisé qu'il m'était impossible de vivre pleinement une journée en laissant mon corps hors de l'équation. Il nous faut renouer avec notre corps et apprendre à faire confiance à ses capacités si nous voulons en découvrir non seulement la force, mais aussi la beauté. La découverte émotionnelle va de pair avec la découverte physique. Mais cette assertion est effrayante de prime abord, car nous sommes nombreuses à ne jamais avoir appris à connaître notre corps ou à le mettre à contribution.

Je ne faisais pas exception. J'évitais même depuis longtemps de regarder mon corps, surtout lorsque j'étais nue. J'avais pris l'habitude de sortir de la douche, d'attraper une serviette et de m'en draper aussitôt, en prenant soin de demeurer dos à la glace afin de ne rien voir de ma silhouette moins que parfaite et de mes bourrelets. Je m'étais regardée dans le miroir à quelques reprises avant mon mariage, et j'avais fait beaucoup d'efforts pour corriger ce que j'y avais vu au moyen de régimes amaigrissants et de séances d'exercice.

Il m'était arrivé à une occasion de travailler dur pour me mettre en forme en vue de participer à un concours de beauté auquel ma mère m'avait inscrite. J'avais donc trituré ma chair comme de la pâte à modeler pour lui donner une forme désirable, surtout aux yeux des hommes et pour me faire aimer du public. Il ne m'était jamais venu à l'esprit de prendre soin de mon corps pour des raisons de santé, ou pour honorer tout ce qu'il m'aidait à faire sur une base quotidienne.

Même lorsque je suis allée m'installer au cap Cod et que j'ai dû haler du bois de chauffage, pelleter de la neige, racler des feuilles mortes et ouvrir des palourdes aussi rapidement que les autres employés de la poissonnerie, j'ai tenu le pouvoir de mon corps pour acquis, n'y faisant guère attention. Je mangeais et je buvais ce que je voulais, négligeais les visites médicales et me privais de petites gâteries telles que de longs bains moussants ou d'occasionnels massages. Après tout, je m'étais enfuie pour me trouver et pour connaître une certaine paix intérieure, et non pour me soucier de mon apparence.

Je suppose que l'on pourrait dire que j'ai été formée dès le début à être un « archétype féminin », une expression que Gloria Steinem a utilisée pour décrire la psyché de Marilyn Monroe. Selon Mme Steinem, Marilyn Monroe était obsédée par le regard et l'opinion des autres, s'évertuant à perfectionner son image plutôt qu'à explorer son monde intérieur. Son corps était son canevas, mais il est demeuré totalement déconnecté de ses instincts, pensées et désirs.

Nous sommes tellement nombreuses, nous les femmes, à tomber dans le piège qu'est ce syndrome, voyant notre corps comme quelque chose qui doit être utilisé pour plaire aux autres, pour nous aider à nous intégrer à la société et, peut-être, ce qui est pire que tout, pour nous aider à dissimuler notre moi authentique. « L'angoisse à l'égard du corps prive en grande partie la femme de sa vie créatrice et détourne son attention d'autres choses, dit Clarissa Pinkola Estés. Elle ajoute : « Son but est de protéger, de contenir, de soutenir, d'enflammer l'esprit et l'âme qu'il renferme, d'être un reposoir pour la mémoire, de nous remplir de sensations. Mais la plupart d'entre nous y voient la cause de notre perte. »[7]

Encore une fois, je ne faisais pas exception, car j'ai continué à comprimer mon corps dans des gaines Playtex et des soutiens-gorge à bonnets galbés. Mes « défauts physiques », comme ma mère les appelait, étaient astucieusement camouflés par les vêtements, de manière à ce que ma silhouette, mes humeurs et mes manières puissent toutes correspondre à un unique idéal de beauté et de comportement. Avec le temps, mon corps n'est devenu pour moi rien d'autre qu'une projection du personnage que j'avais été entraînée à présenter. Oubliez tout de mon moi intérieur, ces lieux cachés, sombres et secrets qui génèrent toutes sortes d'effluves, là où les choses laides se produisent et là où les sentiments vils prennent naissance.

De fait, j'étais si étrangère à mon monde intérieur que je suis devenue hypocondriaque, craignant constamment que mon corps, cet inconnu, me trahisse. Et c'est ainsi que la brèche s'est élargie, je vivais à l'extérieur de mon corps et niais qu'il pouvait même exister quelque chose à l'intérieur de celui-ci, érodant ainsi pendant tout ce temps mon habileté à faire confiance à ma force physique. Je sautais des repas et buvais des substituts en poudre afin d'avoir l'air mince et en santé. Je m'empressais d'enlever mon vieux T-shirt et de me coiffer lorsque mon mari rentrait du travail, je mettais un peu de rouge à lèvres rosé afin de paraître gaie et maîtresse de la situation.

Mais comme l'a dit si pertinemment Alice Miller : « Nous pouvons arriver à tromper notre intellect, à manipuler nos sentiments, à rendre confuses nos perceptions et à mystifier notre corps avec des médicaments. Mais un jour, ce corps présentera sa note, car il

---

7.   Clarissa Pinkola Estés, *Femmes qui courent avec les loups*, pp. 288-291.

est aussi incorruptible qu'un enfant à l'esprit encore intact qui n'accepte aucune échappatoire ni aucun compromis. Il cessera de nous tourmenter qu'à partir du moment où nous ne fuirons plus la vérité. »

Soyez loyale envers votre corps

Mon corps a finalement sonné le réveil lorsque j'ai participé à une course sur route de 5 km à l'occasion du Nouvel An. J'ai franchi la ligne d'arrivée en soufflant comme un bœuf, et bonne dernière, mais je l'ai franchie, et cela uniquement parce que j'avais de bonnes jambes et de bons poumons, et que j'étais déterminée. Malgré mon exploit, je me suis sentie très, très humble. Même si je ne m'étais pas entraînée une seule minute avant cette épreuve, mon vieux corps avait résisté d'une manière ou d'une autre.

Pliée en deux afin de maîtriser le tremblement de mes jambes, tout en respirant doucement et profondément, j'ai finalement été obligée de reconnaître l'existence de mon corps et j'ai commencé à envisager de lui donner un minimum de soins et d'attention. Joan Erikson me conseillait de le faire depuis un certain temps : « On dirait que vous êtes tassée sur vous-même », me disait-elle de son ton typiquement sec. « C'est comme si vous ne vous étiez pas remise d'une grossesse ! »

Après cette course, j'ai commencé à prendre au sérieux ses petites piques. J'ai aussi remarqué qu'elle marchait régulièrement et qu'elle s'alimentait bien, non pas pour soigner son apparence, mais pour éviter de se retrouver coincée dans une enveloppe faible, estropiée et peu coopérative. « Notre corps est notre pouvoir, disait-elle comme si elle récitait un mantra. En tout cas, c'est le seul navire sur lequel nous pouvons compter, un monde portatif, une merveille, vraiment. Votre corps doit vous inspirer confiance, poursuivait-elle. Il peut réellement vous aider à traverser pratiquement n'importe quoi. »

Donc, lorsque j'ai décidé de faire cette excursion sur le sentier des Incas, je me suis fortement inspirée de la foi qu'elle avait en son corps et j'ai accueilli avec enthousiasme tant ses conseils que ses encouragements.

« Dans combien de temps partez-vous ?, m'a-t-elle demandé.

– Huit semaines, ai-je répondu.

– Oh, cela vous laisse amplement le temps de vous entraîner », a-t-elle ajouté avec soulagement.

Je marchais régulièrement depuis ma participation à la course 5 km, et Joan m'a suggéré de continuer sur cette lancée. « Après votre promenade matinale, pourquoi ne viendriez-vous pas ici pour faire une demi-heure de tapis roulant, et ensuite une séance d'entraînement *Step* ?

– *Step* ? », ai-je rétorqué. Elle a insisté en arguant que je serais capable d'escalader n'importe quelle montagne si je m'exerçais à monter et descendre 10 fois par jour les 20 marches qui menaient à son quai, et ce, avec un sac à dos bien rempli sur le dos !

« Votre tête vous jouera des tours, ma chère, surtout à haute altitude. Il faut que vos muscles soient capables de faire ce que votre esprit refusera d'accomplir. Songez seulement à la façon dont votre corps vous a aidée à concrétiser votre rêve et à terminer la course sur route, a-t-elle continué. Cette excursion sur le sentier des Incas sera le test ultime. Vous devez être fin prête. »

Et c'est ainsi que j'ai commencé à m'entraîner, cinq jours par semaine. Chaque « séance de familiarisation », comme je les appelais, m'a aidée à accroître ma confiance dans les capacités de mon corps. Cela faisait longtemps que Joan me disait de sortir de ma tête et d'entrer dans mon corps, et le plaisir que lui procuraient mes progrès était contagieux. « Vous verrez, l'action et le mouvement conspireront pour vous hisser à un nouveau niveau de bonheur et de perception. » Et c'est en effet ce qui est arrivé. Alors que je poursuivais mon entraînement, j'ai commencé à sentir une convergence, graduellement, mon corps et mon âme ont cessé d'être des entités distinctes.

Grâce à chaque étirement, je devenais plus connectée avec chacun de mes muscles, membres et organes. Je n'avais plus à serrer les poings pour embrasser l'effort, surmonter un obstacle ou franchir une distance pour arriver à un nouveau jalon. Alors que la sueur perlait sur mon front et qu'augmentait ma capacité aérobique, une passion pour l'exercice et le voyage est née en moi. Mes poumons travaillaient dur, comme un accordéon lors d'une réception de mariage qui n'en finit pas ; les muscles remplaçaient la chair pendante, et je me construisais un corps qui allait m'aider à vivre ma vie et à profiter de toute aventure ou occasion qui croiserait ma route.

Lorsque je suis enfin arrivée à la Porte du Soleil après quatre jours de randonnée sur le sentier des Incas – le point culminant de cette excursion – je me suis sentie physiquement et spirituellement triomphante ! Mon corps et moi avions vaincu l'altitude, les caprices du temps, le terrain périlleux et un jour, quatorze heures de marche ininterrompue. Il y avait une nouvelle dynamique dans ma démarche lorsque j'ai sillonné la cité antique aux côtés de touristes qui avaient fait le voyage en train plutôt qu'à pied. Je venais de renaître et j'étais prête à relever de nouveaux défis.

Une nouvelle vision de la mise en forme optimale

Plusieurs femmes qui ont participé à mes retraites ont connu un éveil similaire. Joyce Ann (la femme qui a enterré son pèse-personne à South Beach) a compris qu'un lien profond unit la santé physique et la santé spirituelle lorsqu'on lui a diagnostiqué une maladie du sang. « Je refusais d'admettre la justesse du diagnostic, m'a-t-elle raconté, car cela signifiait que je n'avais plus de contrôle sur mon corps. C'est alors que j'ai compris à quel point il était important. » Joyce Ann a décidé de se lancer un défi d'ordre physique dans le but de triompher de cette maladie, et elle a entrepris de s'entraîner pendant un an dans le but de faire l'ascension du mont Kilimandjaro en Tanzanie. Ce n'était pas sa première aventure ; elle avait toujours été sportive et adorait se trouver en pleine nature. Ses passions l'avaient amenée à faire du kayak dans l'Arctique et de nombreuses randonnées dans le parc national Denali en Alaska. Mais sa préparation à l'ascension du Kilimandjaro a été différente.

Joyce Ann a retenu les services d'un entraîneur avec qui elle a travaillé deux ou trois fois par semaine. Elle a également consulté un nutritionniste et un médecin homéopathe. « J'avais décidé de mettre cette expérience à profit pour régler tous mes problèmes d'ordre physique. Je ne pouvais imaginer la vie sans être capable de jouir de la nature, et je ne voulais pas me retrouver dans une situation où mon corps serait incapable de réagir adéquatement. Ma maladie m'a aidée à voir tout ce à quoi je pouvais prêter attention, non pas seulement à ma forme physique ou à ma force, mais aussi à mon bien-être global. »

Lorsqu'elle a finalement entrepris son périple, Joyce Ann avait parcouru les deux tiers du parcours lorsqu'elle s'est mise à saigner du nez, le sang formant des glaçons sous ses narines. Elle avait fait un pacte avec la montagne, lui demandant de l'avertir lorsqu'il serait temps pour elle de s'arrêter. « Je crois que, pour moi, le sommet est ici, a-t-elle dit à son guide africain. Je suis allée assez loin.

– En effet, avait-il répondu. Mais je ne connais aucune grand-mère africaine qui ait monté si haut. »

Joyce Ann cherche l'aventure, non pas uniquement pour atteindre un but quelconque, mais pour le voyage lui-même et les leçons que chaque expérience lui enseigne. « Escalader des montagnes ou marcher en pleine nature, un sac sur le dos, transforme inévitablement, dit-elle. La personne que l'on était au départ n'est plus la même à la fin du voyage. C'est pour cette raison que je suis toujours à l'affût d'une nouvelle aventure. »

Betsy, originaire de Philadelphie, a commencé à chercher une nouvelle aventure chaque jour lorsqu'elle a vu sa mère dépérir à cause de la maladie d'Alzeimer.

« Alors que je voyais ma mère disparaître graduellement, j'ai pris la décision de vivre chaque journée au lieu de seulement exister. L'action et l'énergie sont devenues prépondérantes dans ma vie quotidienne. Bien qu'une blessure au dos m'ait obligée à renoncer au tennis, j'ai rapidement bifurqué vers le kayakisme et la pêche à la mouche. Pagayer

sur des ruisseaux et dans des marécages, et puis me laisser dériver pendant un moment m'a apporté la tranquillité à laquelle j'aspirais tant.

« Je me suis rendu compte que, après une enfance passée à jouer dans les bois, à attraper des grenouilles, des libellules et des vers de terre, cet émerveillement m'avait manqué et qu'il me fallait le retrouver. Lorsqu'une amie m'a téléphoné et m'a invitée à l'accompagner dans une descente d'une rivière du Montana, j'ai tout d'abord hésité, jusqu'à ce qu'elle me dise que l'entreprise qui organisait le voyage s'appelait Real Women (Les vraies femmes). Cela m'a fait changer d'avis.

« Nous avons pêché pendant six jours sur des radeaux pneumatiques, avons parcouru une distance de 100 km sur l'eau, deux femmes et un guide par radeau. Cela a été une expérience vraiment édifiante. J'adore la façon dont la pêche m'amène à communier avec la nature et garde vivant le lien qui m'unit à mon enfance. J'ai appris à comprendre le langage de l'eau, à demeurer sous la pluie pendant des heures, à faire du camping, à surmonter ma peur des serpents et des ours, et à être seule. J'ai le sentiment de vivre pleinement lorsque je pêche. Je me sens en santé et heureuse parce que mon corps et mon âme tendent vers le même but. Ensemble, ils sont forts et pleins d'assurance. »

Je me sens de plus en plus attirée par des femmes telles que Joyce Ann et Betsy, des femmes qui sont bien dans leur peau et qui respectent le lien profond qui unit leur bien-être physique et spirituel, des femmes qui ont une « présence physique ». On sent immédiatement le pouvoir que de telles femmes ont acquis en courant, dansant, pratiquant le yoga, la musculation ou la marche à pied. On peut voir une force intérieure qui irradie d'elles. Je fais souvent des blagues en disant qu'il est cruel d'affirmer qu'une femme est forte, parce que ce n'est qu'une autre façon de dire qu'elle peut en supporter davantage. Mais ces femmes m'ont aidée à voir la force sous l'angle de l'assurance et de la relativisation. Elles sont fortes parce qu'elles ont trouvé l'équilibre, elles ont su unir leur corps et leur âme.

La question devient donc la suivante : « Comment pouvons-nous défendre nos désirs, nous sentir uniques et avoir le sentiment que notre existence a un sens, et puis agir à partir de ces prémisses ? » De toute évidence, les femmes qui ont des étincelles dans les yeux après une course sur route ou une excursion savent très bien ce que c'est que d'exister vraiment (ou ont lutté pour l'apprendre). Leur expérience et leur vitalité sont palpables. Elles ne font pas que simplement traverser la vie, elles semblent habitées par une grande ferveur à la seule idée d'être vivantes.

Nancy a participé à une retraite d'un week-end tout juste après avoir couru le marathon de Dublin. « Je n'aurais jamais eu le courage de faire quoi que ce soit, pas même de participer à cette retraite, si je n'avais jamais commencé à courir, m'a-t-elle dit. J'étais paralysée par un mariage malsain, je travaillais pour un patron exécrable, et je gelais littéralement dans le Minnesota, je croyais ne jamais pouvoir m'en sortir. »

Coincée dans tous les aspects de sa vie, Nancy n'avait rien vers quoi se tourner, excepté son corps, qu'elle avait heureusement tou-jours respecté, mais sur lequel elle s'était rarement appuyée. Elle a donc commencé à courir, tout d'abord jusqu'au bout de la rue, et puis un peu plus loin avec une amie qui avait l'habitude de parcourir 3 km par jour. En l'espace de 3 mois, Nancy avait perdu 9 kilos et elle s'est inscrite à une course de 5 km, la 5K Race for the Cure. Ironiquement, elle a reçu quelques mois plus tard un diagnostic d'arthrite rhumatoïde.

« On m'a dit que la course à pied contribuerait à tenir la maladie à distance. Donc maintenant, au lieu de seulement courir pour fuir l'horreur de mon mariage et de mon tra-vail, je cours pour m'éclaircir les idées, me remonter le moral, surmonter mes peurs ridicules et me sauver la vie. La course m'a aidée à façonner celle que je suis devenue. Elle m'a aidée à communier davantage avec mes sentiments et mes émotions. Je sens plus intensément le monde autour

*de moi et ce qu'il y a à l'intérieur de moi et, par conséquent,
je vis ma vie plus passionnément. La course a modelé mon
être intérieur et ce que je projette, et continuerai à projeter
dans le monde. Plus rien ne peut m'arrêter. Je crois que
toute femme a besoin de l'activité physique pour entrer en
communication avec son moi authentique. »*

Cessez de négliger votre corps

Comme Nancy, Betsy et Joyce Ann, je sais que je ne suis pas
parfaite, mais maintenant que je sens que mon corps et mon âme
travaillent de concert, je sais que je suis suffisamment forte, que
je suis capable d'escalader une montagne, de prendre mes petits-
enfants dans mes bras, d'entreprendre sans hésiter une randonnée
de 8 km ou de travailler pendant 12 heures d'affilée et avoir encore
de l'énergie. Je suis devenue une adepte de la forme optimale, je ne
fréquente plus les salons de beauté, mais plutôt le gymnase ou un
centre de remise en forme, toujours à la recherche d'une nouvelle
aventure ou d'un défi intéressant.

Et c'est ce qui m'amène à parler de nouveau de ces femmes qui
s'arrêtent et qui participent à une retraite, qui ne sont pas encore
prêtes à s'emparer de leurs journées. La randonnée sur la plage a
pour but de stimuler une connexion entre le corps et l'âme, entre
la régénération physique et spirituelle, et de faire naître chez ces
femmes un sentiment de force et d'euphorie. Pour certaines, la peur
et l'habitude de la défaite sont trop enracinées. Mais heureusement
que, tout comme l'exercice sur le cycle de la vie peut nous aider à
considérer l'adversité comme une force et une possibilité de croissance dans n'importe quelle situation, un corps délaissé peut toujours
être récupéré.

Joan Erikson me répétait inlassablement: « On accède à l'autonomie et à la croissance personnelle lorsqu'on avance en âge, mais
uniquement si nous prenons soin de notre corps. Il est facile de jeter
le blâme sur le terrain ou le vent lorsque nous échouons ou trébu-
chons. Mais lorsqu'il s'agit du corps, il n'y a pas de place pour l'api-
toiement sur soi-même. Toute une vie d'entraînement est requise. »

Toute femme qui songe à participer à une retraite et à une restauration de son être devrait également envisager une mise en forme physique. Comme avec toute chose, commencez lentement. Commencez par respecter cette merveilleuse enveloppe qui est la vôtre au lieu de l'ignorer. Lorsque je suis devenue l'amie de mon corps, j'ai également entrepris de me rappeler la façon dont il avait toujours été là pour moi, comme un chien fidèle, avide d'action et d'attention même si je l'abandonnais dans le froid ou si j'oubliais de le nourrir. Je vous invite donc à cesser de le négliger en silence en répondant aux questions qui suivent :

- Qu'est-ce que votre corps a fait pour vous pendant votre vie ?
- Quelles tâches ingrates et quels services de soutien a-t-il accomplis pour vous ?
- Qu'est-ce que votre corps est capable de faire en ce moment ?
- De quelles parties de votre corps (ossature, expressions faciales, manies, etc.) avez-vous hérité d'une lointaine parente ?
- Qu'est-ce qui vous plaît dans votre corps ?
- Qu'est-ce qui vous déplaît dans votre corps ?
- À quoi pouvez-vous remédier ?

Après avoir répondu à ces questions sur une feuille de papier ou dans votre journal intime, encerclez tous les éléments positifs de vos réponses. Je suis prête à parier qu'ils seront supérieurs en nombre aux éléments négatifs. Il est temps que vous fassiez l'éloge de votre corps au lieu de lui réserver chaque jour une bonne dose de critiques et de mépris.

Prenez soin de vous

La prochaine étape consiste à prendre simultanément soin de votre corps et de votre âme. La société se plaît à faire une distinction entre le corps de la femme et son âme, mais nous pouvons contre-carrer cette dangereuse attitude en modifiant la façon dont nous nous occupons de nous-mêmes.

Au tout début de cet ouvrage, j'ai cité Clarissa Pinkola Estés lorsque j'ai traité de la relation que la femme entretient avec son âme. J'estime que ce passage vaut la peine d'être reproduit ici encore une fois, car ce que cette auteure dit de l'âme est tout aussi important pour la relation qu'une femme a avec son corps :

> *« Elles ne comprennent pas que l'âme est la génératrice de leur énergie, et que la relation avec elle est un instrument d'une importance extrême qui a besoin d'être mis à l'abri, nettoyé, huilé, réparé. Autrement, cette relation va s'abî-mer, comme une voiture, et ralentir la vie quotidienne de la femme, nécessiter une énorme énergie dans les tâches les plus simples, avant de la lâcher complètement loin de la ville et du moindre téléphone. Le chemin du retour est alors très très long. »*[8]

Toutes les femmes qui sont à la recherche d'une « présence physique », d'une vie remplie d'aventure et d'affirmation de soi, doivent apprendre à se mettre à l'abri, à se nettoyer, à se huiler et à réparer leur corps et leur âme. Nous avons toutes commencé à courir afin de perdre les 5 kilos que nous avions en trop, nous nous sommes mises au régime avant le mariage de nos enfants, ou nous avons marché chaque jour avant la réunion commémorative des étudiants de notre promotion. La plupart du temps, nous n'avons pas atteint notre but. Pourquoi ? Ce n'est pas parce que nous n'étions pas capables de perdre du poids, de raffermir nos muscles ou de lisser nos rides, mais parce que notre but avait trait à l'image que nous voulons projeter, et non à notre moi authentique. Nous devons apprendre à modeler notre corps en commençant par l'intérieur. Au lieu de vous fixer un but ayant trait à votre apparence, comme le raffermissement de vos cuisses ou une taille de vêtement

---

8. *Idem*, pp. 688-689.

inférieure, commencez par formuler un rêve, une passion ou un but spirituel.

Trouvez ensuite une activité physique propice à sa concrétisation. « Rien ne vaut l'effort consenti pour ce qui en vaut la peine », a dit Joan Erikson. Je suis allée à Machu Picchu pour diverses raisons. J'étais jalouse de mes enfants qui avaient fait ce voyage, et je voulais prouver qu'une telle aventure était toujours à ma portée. Mais il fallait aussi que je revitalise mon esprit épuisé en mettant à l'épreuve mon endurance et ma volonté. C'est au cours de ce processus que j'ai découvert le bonheur que procurent la bonne condition physique et la prise en charge de soi.

ABRI :   Quels sont certains des moyens que vous pouvez employer pour vous mettre à l'abri ?

NETTOYAGE :   Comment pouvez-vous nettoyer votre moi intérieur, lui offrir paix, pouvoir et bénédictions ?

HUILAGE :   Que vous apporterait un « huilage » de votre corps et de votre âme ? En quoi consisterait l'essentiel de leur alimentation ? Comme avec une voiture, de quels types de vérifications et de carburant ont-ils besoin pour être maintenus dans une condition optimale ?

RÉPARATION :   Comment pourriez-vous commencer à réparer les pièces défectueuses de votre corps dès maintenant, aujourd'hui ? Quels types de réparations plus importantes pourrez-vous effectuer plus tard ?

Lorsque nous entraînons notre corps à soutenir nos rêves, nous apprenons à vivre de façon authentique. Et vivre de façon authentique, ce n'est pas nécessairement escalader des montagnes ou remporter des courses. C'est reconnaître et développer la force corporelle que Dieu nous a donnée afin de vivre le plus pleinement possible.

RÉSUMÉ DE FIN DE CHAPITRE

➤ Cessez de négliger votre corps et prenez soin de vous ;
➤ Entraînez votre corps à soutenir votre âme ;
➤ Cultivez la présence physique ;
➤ Nagez nue.

SPA ET BAIGNADE NUE

La première fois que j'ai animé une retraite dans un endroit où il y avait un bain à remous, trois femmes s'y sont plongées toutes nues immédiatement après le souper. Elles hurlaient de plaisir, excitées d'avoir osé faire les vilaines filles. Le reste du groupe n'a pas tardé à se joindre à elles. Un peu hésitantes au début, nous nous sommes vite mises à nous arroser les unes les autres, à parler et à rire avec abandon. Personne ne se cachait derrière une serviette ou un maillot de bain. Il y avait des femmes grasses, des femmes maigres et des femmes ridées. Certaines avaient des cicatrices sur le ventre, des marques sur les cuisses, une poitrine plate, des seins flasques. Mais aucune ne se souciait de l'apparence de l'autre.

Cela a été une expérience étonnante et libératrice que j'essaie de recréer chaque fois que j'en ai l'occasion. En ce qui me concerne, cette baignade nue en compagnie de 20 autres femmes n'a fait que confirmer dans mon esprit le fait que l'image corporelle vient de l'intérieur et tient avant tout de la présence, et non de la perfection. Toni, originaire de l'Ohio, m'a parlé de ce qu'elle a ressenti, et son récit témoigne du défi qu'elle a relevé et de la récompense qui a suivi.

« *Avant de participer à cette retraite, j'avais entendu dire qu'une baignade nue dans un bain à remous était à envisager. Je ne savais pas trop quoi en penser. J'ai toujours été prude. Je suis en assez bonne forme. Je fais du yoga, de la musculation et du jogging. Mais j'aime aussi la réglisse, le vin, les biscuits et la crème glacée. J'ai un problème de cellulite, concentré sur ma hanche gauche. Va pour la cellulite, après tout, j'ai 49 ans, mais c'est la disproportion de mon corps qui m'ennuie. J'ai toujours souhaité que mes jambes soient plus longues et ma poitrine plus généreuse. Cicatrices et peau flasque caractérisent la majeure partie de mon anatomie.*

« *Je suis parfois fière de ces stigmates — comme de la cicatrice sur mon ventre et du petit bourrelet qui pend dessous —, car ce* sont des rappels visibles et permanents de mes deux césariennes. D'autres marques ont moins de signification et peuvent plutôt être qualifiées d'imperfections. J'ai passé la majeure partie de ma vie à penser que je pourrais être plus mince, avoir un ventre plus plat et des cuisses plus fermes si seulement je faisais davantage d'efforts. Alors, qu'est-ce que j'allais faire pendant cette retraite ?

« Et effectivement, Joan nous a toutes encouragées à laisser nos peurs dans notre chambre, avec nos vêtements, et de la rejoindre dans le bain à remous. Je me suis regardée dans la glace avant de prendre une décision. Et puis, j'ai entendu les autres femmes qui couraient en riant sous ma fenêtre. Je ne suis pas parfaite et je ne le serai jamais. De plus, je m'étais inscrite à cette retraite pour fuir la dictature de mes peurs et de mon insécurité. J'ai donc retiré mon jean et me suis drapée dans une serviette.

« Le problème avec les bains à remous, c'est qu'il n'y aucun moyen d'y entrer rapidement avec grâce ou aisance. Dix femmes s'y trouvaient déjà lorsque je suis arrivée, mais j'étais la seule à me cacher derrière une serviette. Je me suis jetée à l'eau et je me suis aussitôt sentie enveloppée par la chaleur, mais aussi par un sentiment de bravoure et de confiance.

« Lorsqu'une autre femme est arrivée et s'est immobilisée au-dessus de nous, indécise, mon instinct m'a dicté de ne regarder que son visage, et plus précisément ses yeux, afin de respecter sa pudeur. Mais je me suis rendu compte que ses yeux étaient le théâtre de toutes ses émotions et de sa personnalité. Au lieu d'éviter de pénétrer son intimité, je la contemplais ouvertement. Dès que ses yeux m'ont souri, j'ai compris que son corps et le mien n'avaient aucune importance.

« Bien sûr, j'avais conscience de tous ces corps nus autour de moi. Mais c'est un sentiment de plénitude et de douceur qui prévalait et, plus que tout, l'impression de faire partie de l'histoire. J'ai réalisé que le corps de la femme a une qualité sacrée, qu'il a été conçu pour réconforter, abriter, enlacer et protéger.

J'étais entourée d'une fabuleuse beauté. Cette expérience m'a permis d'accepter mon corps. Je me suis sentie fière de lui et j'ai ri de ce que j'avais toujours considéré comme des défauts. Mon corps transporte mon histoire et abrite mon expérience. Je suis vraie et mon corps est vrai. Plus important encore, j'ai compris que la beauté ne se trouve pas sur nos hanches ou notre ventre, mais dans notre esprit et notre âme. »

Ce ne sont pas toutes les femmes qui sont capables d'oser faire ce que Toni a fait, mais le seul fait de penser qu'elles pourraient se plonger toute nue dans un bain à remous suscite la réflexion et les amène à créer leurs propres rituels pour honorer leur corps. Lors d'une récente retraite tenue en Californie, lorsque les femmes ont commencé à réaliser qu'une baignade nue dans le bain à remous était inévitable, je ne me suis pas rendu compte que l'une des participantes était consternée – consternée parce qu'elle avait cru comprendre que j'exigeais qu'elle se déshabille pour participer à l'expérience.

Elle m'a avoué à la fin de la retraite qu'elle avait eu de nombreux problèmes avec son corps, qu'elle avait lutté contre la boulimie et l'anorexie pendant de nombreuses années, qu'elle était maintenant plutôt dodue, et qu'elle était incapable de se dénuder devant les autres. Même si aucune d'entre nous ne semblait porter de jugements, elle n'avait pas réussi à surmonter son inhibition. Elle était en colère contre moi et déçue d'elle-même. Mais au cours du week-end, elle a été capable de comprendre que c'était son problème et qu'elle devait le régler. Sa solution ? Faire l'expérience du bain à remous en solitaire – se glisser dans l'eau, à l'abri des regards, et redécouvrir la joie de son corps.

Se mettre nues semble être devenu un rite de passage pour celles qui veulent enfin assumer et accepter le corps qui leur a été donné. La plupart des matins pendant les week-ends que j'organise au cap Cod, les femmes prennent leur café et se rendent en petits groupes sur la plage pour regarder le soleil se lever. Un matin, j'ai trouvé là plusieurs femmes qui attendaient impatiemment l'apparition du disque orangé à l'horizon, mais aussi autre chose. Alors que le soleil se levait et que les bateaux de pêche partaient pour une journée en mer, les femmes ont cérémonieusement retiré leurs vêtements et se sont précipitées dans l'eau ! En l'espace de quelques minutes, elles étaient au moins une douzaine à s'arroser, ravies d'avoir osé venir nager avec les phoques et mis leur plan à exécution.

Pendant d'autres week-ends, il arrive que je trouve quelques femmes qui se laissent dériver à la pointe de South Beach, nageant encore une fois avec les phoques, et heureuses d'avoir bravé l'eau froide, de s'être déshabillées devant les autres, et finalement de sentir l'excitation que procure la baignade nue, aucun vêtement ou contrainte entre le corps et l'eau. C'est une expérience libératrice absolument non conventionnelle et en grande partie extravagante, une entorse aux règles. Je suppose que c'est pour cette raison qu'il ne se passe pas un week-end sans qu'une femme ou une autre ne fasse reculer les limites du possible, se délectant d'elle-même et de son corps en faisant fi de ce qu'en pensent les autres.

Joan Erikson croyait que pour jouir de la vie, il fallait se trouver dans la nature, au milieu des éléments, et avec le moins de vêtements possible. J'ai adopté son mantra maintenant que j'ai observé tant de femmes se sentir résolues et ravies d'avoir enfin la chance de savourer leur sensualité et d'apprécier leur corps.

ENTRAÎNEZ VOTRE CORPS ET VOTRE ÂME

Lorsque vous vous engagez à restaurer votre corps, le plus important est de savoir ce que cela apportera à votre âme. Les femmes qui participent à mes retraites ont découvert de nombreux moyens de modeler leur corps de manière à ce qu'il vienne appuyer leurs rêves. Voici certaines de leurs suggestions.

Participez à une course sur route le jour de la fête des Mères ;

Apprenez à faire de la voile, du kayak, de la pêche à la mouche, du saut en chute libre ;

Faites du bénévolat auprès d'une équipe sportive de jeunes ;

Faites vos emplettes à vélo ;

Rendez-vous au travail à pied ;

Engagez-vous avec Habitat pour l'humanité ;

Inscrivez-vous avec des amies à une visite pédestre de la vallée de Napa ;

Planifiez et organisez un voyage à bicyclette avec vos petits-enfants en prévoyant une nuit à l'extérieur ;

Devenez instructrice accréditée Pilates ;

Participez à une compétition de natation avec votre fille.

Resaisissez-vous
en trouvant l'équilibre
et en érigeant
des frontières

Oubliez les attentes d'autrui

*« Lorsqu'on renonce à certaines situations sociales,
qu'on se plonge dans une solitude temporaire, et
puis qu'on y trouve quelques bijoux, tout change. »*

JOSEPH CAMPBELL

L'éveil

Le dimanche matin, une douce euphorie règne dans l'auberge. Le visage des femmes brille de ce que C.S. Lewis appelle «la satisfaction ressentie, une joie douce mêlée à un sentiment de gratitude ». Parce qu'elles ont pris le temps de s'isoler, parce qu'elles ont osé donner la priorité à la relation qu'elles ont avec elles-mêmes, toutes ces femmes sentent maintenant naître en elles un sentiment d'assurance. Elles savent que leur tour est venu, qu'elles sont sur une vague ascendante, qu'elles ne sont plus échouées comme un bateau sur les bancs de sable de la vie.

Donc, en ce dimanche matin, j'emboîte le pas à plusieurs femmes qui se dirigent vers la plage pour y admirer le lever du soleil. Une tasse de café à la main, je reste à l'écart afin de ne pas les déranger, consciente du fait qu'il ne leur reste qu'une journée de solitude. Je suis agréablement surprise par leur langage corporel. Elles ne ressemblent certainement plus à ces femmes brisées et craintives qui se sont assises en cercle hier, ou le jour d'avant, me mettant silencieusement au défi de leur enseigner un moyen de se débarrasser de leur confusion.

Uniquement en observant leurs épaules détendues et leur démarche élastique, je suis capable de dire que ces femmes sont extrêmement satisfaites. Elles semblent avoir accepté le fait qu'elles sont exactement là où elles devraient être, que ce moment leur suffit, que, comme il est écrit dans l'Ecclésiastique : « À toute chose sa saison et son temps. » Il y a un temps pour être mère, un temps pour aimer, un temps pour se rapprocher, un temps pour se retirer, un temps pour se dévouer et un temps pour prendre soin de soi.

Je sais par expérience que les femmes qui viennent sur la plage le dernier matin sentent qu'elles sont dignes d'un riche avenir. Elles voient maintenant que les rôles qu'elles ont passé toute une vie à perfectionner ont perdu de leur importance ou sont devenus carrément inutiles, et elles comprennent ce que voulait dire Carl Jung : « On gâche ce à quoi on s'accroche. »

En à peine 36 heures, la majorité des femmes s'étaient constitué un bagage bien rebondi d'autodétermination et se sentaient maintenant à l'aise avec l'idée du changement. Le week-end avait été le théâtre de plus d'un cycle tidal complet, tout comme ces femmes. Elles s'étaient habituées au rythme du flux et du reflux ; elles avaient senti le rivage de leur vie commencer à ramollir et à se reformer ; et elles avaient accueilli favorablement les vagues de la vérité et de la découverte qui avaient déferlé sur elles.

Vendredi encore, elles avaient du mal à formuler les raisons pour lesquelles elles avaient besoin de participer à une retraite. Certaines disaient qu'elles avaient entendu un « appel » ; d'autres qu'elles avaient eu une intuition ou cédé à une impulsion ; et certaines admettaient avoir tout simplement accepté sans réfléchir l'invitation d'une amie. Mais peu importe ce qui les a d'abord incitées à s'inscrire, elles ont toutes en quelque sorte fait confiance à leur instinct.

À mesure que s'est déroulé le week-end et que leur perspective a changé, elles ont pris conscience de l'importance de leur décision – ce geste qui au début leur semblait tenir du luxe, de l'indulgence ou de l'incohérence leur apparaît maintenant comme une réponse nécessaire à un besoin amplement fondé. Dans la solitude, sous un ciel immense, libérées des contraintes du quotidien, elles ont accepté leurs imperfections, mesuré leurs erreurs, analysé leurs mauvaises décisions, reconnu leurs besoins et donné la parole à leurs désirs. De façon plus significative, ces femmes se sont libérées des histoires des autres, de la prudence excessive, de la tristesse et des actions fautives. L'aventure a toujours semblé faire figure de source vivifiante pour l'esprit humain, et la marque de commerce de ces retraites est justement l'aventure.

Ellen a écrit dans son journal que, le dimanche matin, elle s'est tout simplement réveillée.

« *Je ne peux l'expliquer que comme quelque chose qui va au-delà du simple réveil matinal – j'avais transcendé le quotidien. Du jour au lendemain, j'ai su clairement ce que j'avais à faire. De fait, je me suis sentie ridicule de ne pas avoir été capable de voir plus tôt mon avenir avec une telle clarté. Il y avait si longtemps que je sentais que quelque chose manquait dans ma vie. Lorsque je me suis réveillée dimanche, ce poids était disparu et avait été remplacé par le désir de prendre le contrôle et d'aller de l'avant.*

« *J'étais heureuse parce que je savais ce que je voulais faire, et je savais que j'étais assez forte pour y arriver. La métaphore du homard qui mue prenait enfin un sens. Tout comme le homard, j'étais restée cachée afin de me constituer une carapace solide. Tout au fond de moi, j'avais toujours su que je voulais cesser d'être uniquement ce que les autres attendaient de moi ; maintenant, je sais que je peux apporter dans ma vie tous les changements que je souhaite parce que je suis heureuse dans ma carapace.* »

Le poète Antonio Machado a dit : « Entre la vie et le rêve, il y a quelque chose de plus important et c'est l'éveil. » Cet éveil est un état de conscience intense, qui donne lieu à une euphorie limpide – le miracle qui se produit lorsque nous nous écartons de la vie ordinaire et permettons à notre inconscient de communier avec notre esprit conscient. Ellen et toutes les autres femmes qui ont participé à mes retraites ont enfin appris à s'écouter, à devenir maîtresses de leur destinée, à finalement être capables de laisser la parole à leur précieux guide intérieur.

Des lettres d'amour écrites sur le sable

Avec la convergence de si nombreuses émotions, il serait vraiment trop facile pour ces femmes de laisser ce dimanche matin leur glisser entre les doigts. Mais il est important qu'elles s'accrochent à cette grande félicité et façonnent leur vie de manière à demeurer loin des lignes droites une fois pour toutes.

C'est pour ces raisons que, après le lever du soleil, je distribue du papier et des stylos et demande à chaque femme de s'écrire une lettre – comme si elle écrivait à sa meilleure amie – en décrivant le week-end qu'elle vient de vivre et en répondant à des questions telles que : Quand et comment avez-vous commencé à éprouver de la satisfaction ? Est-ce sur la plage ou en arrivant à l'auberge que vous avez la première fois eu un sentiment de paix ? Étiez-vous seule ou avec le groupe, dans le bain à remous ou à votre réveil un matin ? Peut-être vous êtes-vous sentie paisible dès le moment où vous avez quitté la maison, êtes montée à bord de l'avion, ou dans votre voiture et vous avez allumé la radio. Peut-être est-ce arrivé au moment où l'on vous servait à souper, ou lorsque vous avez vu les fleurs fraîches dans votre chambre, ou parce que vous avez porté le même pantalon de jogging tout au long de votre séjour. « Peu importe la manière dont la paix est venue à vous, dis-je, décrivez-la dans la lettre que vous vous écrivez. Mettez cette missive dans une enveloppe. Inscrivez-y votre nom et cachetez-la. Je vous la posterai dans un mois ou deux.

De nombreuses femmes m'ont dit que cette lettre est pour elles un rappel du bien-être qu'elles ont ressenti en vivant uniquement pour elles-mêmes. Aly et Francine l'ont toujours sous la main afin de ne jamais oublier ni revenir en arrière.

Chère Aly,

Je fais le plus étonnant des voyages. En ce moment, je suis assise sur le sable d'une plage du cap Cod. Le soleil vient tout juste de poindre au-dessus de l'océan. Je suis entourée de trente-trois autres femmes que je ne connaissais pas il y a deux jours et que j'ai maintenant l'impression de connaître depuis toujours. Elles sont devenues mes sœurs. Elles m'apportent réconfort et détente. Tu sais à quel point cela a été une grosse décision pour moi que de participer à cette retraite. Dès que j'ai tourné la dernière page du livre A Year by the Sea, *j'ai su qu'il fallait que je vienne ici.*

Mais je n'étais jamais allée aussi loin, et je ne savais pas si Ralph m'approuverait ou m'encouragerait. C'est avec beaucoup d'excitation que je me suis préparée à partir, mais j'étais quand même hantée par le doute. Je venais de quitter un emploi que j'occupais depuis dix-sept ans, et je m'étais promis que je profiterais de ce carrefour dans ma vie pour trouver le courage et la force d'aller de l'avant. Mais je ne me sentais ni très courageuse ni très forte.

Même le premier soir, lorsque nous nous sommes toutes réunies et avons raconté notre histoire, je me sentais faible et maladroite. En fait, je souhaitais rentrer à la maison. Je n'aime pas les rassemblements et je ne me suis jamais sentie à l'aise lorsqu'il s'agit de parler de moi. Je suis même incapable de m'inscrire à un cours de danse aérobique, et je préfère marcher seule. Joan nous a encouragées à chercher la solitude, mais elle a aussi fait en sorte que nous trouvions notre place dans ce groupe.

J'ai commencé à me détendre lorsque cela a été à mon tour de m'exprimer. Cela a été très difficile de raconter ma relation avec Ralph et de parler de ma décision de quitter mon emploi à cause de sa santé. J'ai beaucoup pleuré, mais je n'ai pas été la seule. Tant d'autres femmes étaient elles aussi confuses à propos de leur mariage et de leurs choix. Lorsque nous nous sommes attablées pour souper ce soir-là, je me suis sentie heureuse et entourée d'amies qui me comprenaient.

Le lendemain, nous avons fait une promenade en solitaire. Pour la première fois, marcher seule n'était pas pour moi une réaction à la peur, car je savais que je pouvais laisser le groupe derrière moi et le retrouver à mon retour. Je me sentais soudain forte et courageuse parce que je me sentais soutenue. Lorsque je serai de retour à la maison, tu devras m'aider à trouver un groupe de femmes avec qui je pourrai partager mes journées et mes pensées. Je ne suis plus seule.

Chère Francine,

Il faut que je partage avec toi ce que je viens de vivre au cap Cod avec Joan Anderson. À mon réveil ce matin, je n'avais rien à faire et nulle part où aller. J'ai enfilé le même short que je portais la veille et, pour une fois, j'ai laissé sécher mes cheveux à l'air libre. Hier a été une journée magique parce que je suis allée là où j'avais envie d'aller et que j'ai dit non aux autres. Lorsque Joan nous a laissées sur la plage, je n'ai pas suivi son conseil et n'ai pas cherché un endroit pour moi seule.

J'ai couru sur plus d'un kilomètre et demi au bord de l'océan. Et puis, j'ai traversé les dunes et j'ai pataugé dans les eaux calmes de la baie. Lorsque je suis arrivée au phare, je me suis dirigée vers la gauche, à l'opposé de l'auberge, et je suis allée en ville pour y boire une tasse de thé, seule. À mon retour, j'ai adoré parler de mon expérience avec les autres femmes, mais j'ai surtout adoré avoir été capable de dire « non » en premier lieu. Je vais le dire beaucoup plus souvent, parce que cela me rend heureuse.

L'appel de la nature fait en sorte que la liberté l'emporte sur la peur, et après avoir passé un moment dans un environnement naturel, nous délaissons la prudence et le conservatisme pour soudain oser et nous abandonner. Ce genre d'isolement génère une myriade de découvertes. Ces moments, leçons et métaphores sont fugaces, mais il vaut la peine de les noter et de ne pas les oublier. C'est pourquoi il est important de coucher vos pensées sur le papier, dans votre journal intime et puis dans une lettre que vous vous écrivez à vous-même.

Dans cette lettre :

- Expliquez ce qui vous a poussée à partir, ce qui vous a amenée à amorcer cette quête, et où vous en êtes.

- Décrivez vos sentiments, comment vous sentiez-vous avant de partir, et quelles sources de satisfaction avez-vous trouvées pendant votre séjour ?

- Plus important encore, tentez de formuler ce à quoi vous devrez vous accrocher lorsque vous retournerez à votre vie normale. Prêtez une attention toute particulière aux sentiments ou aux désirs qui ont fait surface pendant que vous faisiez les exercices précédents. Déterminez ce que vous voulez intégrer à votre vie et ce que vous pouvez faire pour concrétiser vos intentions.

Relisez ensuite ce que vous avez écrit. Soulignez les moments d'émerveillement, les désirs, les intentions et les besoins qui ressortent, car ils vous aideront à formuler des résolutions. Ce n'est peut-être pas la veille du jour de l'An, mais c'est le commencement d'une nouvelle ère pour vous. Des femmes ayant participé à mes retraites ont inscrit dans leur lettre qu'elles prenaient la résolution d'être loyale envers elles-mêmes ; de ne plus faire de compromis ; d'insister sur la réciprocité ; de se faire une bonne amie de la solitude ; de ne pas oublier que chaque journée qui passe ne peut être revécue et qu'il faut la vivre pleinement ; de s'accorder du temps libre ; et de ralentir et vivre plus délibérément.

Maintenant, cachetez votre lettre et mettez-la de côté pour au moins un mois, peut-être deux. Vous pouvez la poster à une amie en lui demandant de vous la renvoyer plus tard. Il est très important de réviser vos pensées et vos sentiments. Tout comme la contemplation de vieilles photographies vous permet de voir que vous avez des racines solides, la réception de cette lettre vous aidera à vous rappeler que l'épanouissement personnel est à votre portée. Elle vous ramènera à votre voyage inachevé et vous aidera à déterminer dans quels domaines vous êtes allée trop vite, comme d'habitude.

Jouez un rôle équilibré

Voici pour la partie concrète de la recomposition. Nous ne pouvons véritablement espérer protéger notre sentiment d'euphorie qu'en trouvant un moyen de maintenir notre équilibre et d'ériger quelques frontières.

« Apprendre à être une femme est assurément le travail de toute une vie », dit May Sarton, et je répète cette affirmation dans presque toutes mes conférences, ne serait-ce que pour rappeler aux femmes qu'il n'existe pas de réponses faciles et instantanées. Nous ferons des progrès et ensuite quelques pas en arrière. L'important, c'est d'avoir un plan et de le respecter.

Je sais que, lorsque j'anime une retraite d'un week-end ou que je prononce une allocution, plusieurs femmes doivent être surprises de constater que je suis bien dans ma peau, que j'ai fait mes devoirs, que j'ai changé ma vie et suis maintenant heureuse, appréciant tous mes rêves et mes désirs inachevés. Mais c'est le contraire. Oui, j'ai travaillé dur pour modifier la direction et la couleur de ma vie, mais avec chaque nouveau livre que j'écris viennent de nouvelles tâches et des journées foisonnantes de nouveaux défis. Comme tout le monde, j'oublie de respirer ou de marcher ou de prendre le temps de me sentir satisfaite. Je dois continuellement me rappeler à moi-même que, oui, j'ai des racines robustes, de grands désirs et la volonté de tendre vers la réalisation de mes rêves. Je dois m'interroger régulièrement, et il y a toujours un travail d'entretien à effectuer.

Récemment, j'ai accepté trop de mandats et j'ai négligé mon alimentation. C'était l'hiver, mon mari se remettait d'une intervention chirurgicale, ma mère était tombée sur la glace et s'était blessée, et on m'attendait à Chicago au lendemain de la naissance d'un nouveau petit-enfant. Inutile de dire que j'étais dans tous mes états. Voulais-je partir ou rester ? Mon mari déteste demeurer enfermé, et ma mère est incapable de passer une seule journée sans me rendre visite. Que feraient-ils sans moi ? Si je partais, combien de repas me faudrait-il préparer et congeler ?

À qui pouvais-je faire appel pour vérifier si mon mari et ma mère allaient bien ? Que feraient-ils s'il y avait une grosse tempête de neige et une panne d'électricité ? Mon mari savait-il où trouver le numéro de téléphone du garçon qui pellette l'allée chez ma mère ? Cependant, si je restais, qui aiderait mon fils et ma belle-fille à naviguer dans le chaos qui accompagne l'arrivée d'un bébé à la maison ? Qui prendrait soin du petit Grady, deux ans, et faciliterait son adaptation ? Où pourrais-je commander des repas à entreposer dans leur congélateur ? Quel genre de mère et de grand-mère serais-je donc si je n'étais pas là ?

Chaque possibilité m'apparaissait épuisante. Je ne pouvais pas m'empêcher de m'inquiéter et de vouloir prendre soin de tout le monde. Je n'ai pas respecté une échéance professionnelle et j'ai annulé un dîner avec une amie. Plus je m'inquiétais, plus je me retrouvais piégée par les besoins et les plans des autres. J'étais davantage préoccupée par l'idée d'aider mon mari, ma mère, mon fils, ma bru et, oui, même mon petit-fils de deux ans, que par la nécessité de m'interroger sur ce que je voulais ou ce dont j'avais besoin. Qu'est-ce qui me conviendrait le mieux actuellement ? Où voulais-je me trouver ?

Il a bien fallu que je me moque de la façon dont j'étais de nouveau tombée dans le piège des attentes que j'imaginais chez les autres. J'étais désemparée et tendue, je négligeais mon travail, je ne m'amusais plus, et tout cela parce que j'essayais de trouver un moyen de régler les problèmes de tout le monde. Que penseraient donc de moi les femmes qui participent à mes retraites ? Ne pouvais-je pas suivre mes propres conseils ?

C'est dans l'avion qui me conduisait à Chicago quelques jours plus tard que je me suis ressaisie et me suis rappelé la roue de l'équilibre. Un grand nombre des exercices contenus dans cet ouvrage sont le fruit du besoin de me réinventer que j'ai éprouvé pendant l'année que j'ai passée au bord de la mer, ou de celui des femmes qui participent à mes retraites. L'exercice de la roue de l'équilibre a été inventé lorsque, après la randonnée sur la plage du samedi, une femme a rapporté un gros caillou qui était blanc et noir, dans des proportions égales.

«Ce caillou, c'est moi», a-t-elle dit en le levant pour que toutes le voient. Nous l'avons regardée fixement en nous demandant quelle explication elle allait nous donner. «Je me suis toujours dévouée pour tout le monde, a-t-elle dit. Mais c'est terminé. À partir d'aujourd'hui, je vais diviser ma vie en deux parties égales. Cette partie», a-t-elle poursuivi en montrant le côté blanc, «n'appartiendra qu'à moi; le côté noir sera consacré aux autres.»

Devant cette explication, toutes se sont redressées et sont devenues attentives. C'était une illustration tellement simple et graphique de l'équilibre et des frontières. J'ai donc tracé un grand cercle sur le tableau et je l'ai divisé en deux. J'ai ensuite divisé chaque moitié en quatre parties. Le côté du moi incluait le corps, l'esprit, l'âme et les relations. Le côté des autres incluait les amis, la famille, le travail et le reste.

Ensemble, les participantes ont inscrit dans chaque section tout ce qu'elles avaient actuellement à leur disposition pour les aider à prendre soin d'elles. Dans la catégorie «corps», elles ont fait des suggestions telles que: régime amaigrissant, massage, exercice, relations sexuelles ou marche à pied. Dans la catégorie «esprit», elles ont proposé: lecture, thérapie, rédaction d'un journal intime, conférences, musée et sommeil. Dans la catégorie «âme», elles ont suggéré: église, pause quotidienne, méditation, yoga, balade dans la nature.

Dans la catégorie «relations», elles ont noté: parler chaque soir, trouver un passe-temps commun, faire de l'exercice ensemble et s'écouter l'un l'autre. Souvent, les mêmes idées se retrouvaient dans

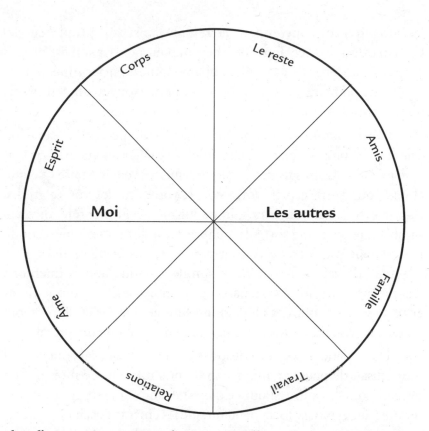

plus d'une catégorie. Les relations sexuelles, par exemple, figuraient à la fois dans les catégories corps, âme et relations. L'exercice, les pauses, la thérapie et la danse pouvaient très bien figurer dans toutes les catégories.

Le même modèle est apparu lorsque nous sommes passées au côté réservé aux autres. Dans la catégorie « amis », les femmes ont suggéré : promenade quotidienne, danse, musée, dîner. Dans la catégorie « famille », elles ont proposé : voyage, expédition, vieux albums photos, planification d'une soirée de jeux de société. Dans la catégorie « travail », elles ont inscrit : nettoyage de l'espace de travail, élaboration de listes quotidiennes et journée de congé.

Depuis, je distribue de grands cercles sectionnés lors de chacune de mes retraites. Les participantes discutent alors des huit catégories et s'adonnent à une séance de remue-méninges pour trouver des activités et des idées. Chaque femme inscrit sur la roue les idées qui lui conviennent et remplit ainsi son propre cercle. Chacune décide de ce dont elle a besoin pour nourrir son esprit, son corps, sa carrière et sa famille. Lorsque toutes ont terminé, je leur explique comment utiliser cette roue pour trouver un sentiment d'équilibre dans leur vie à la maison.

«Votre but, dis-je, est de mettre en pratique chaque semaine une suggestion inscrite dans chacune des catégories appartenant au côté moi. En d'autres termes, chaque semaine, veillez à faire quelque chose pour votre esprit, votre corps, votre âme et vos relations. L'autre côté prend toujours soin de lui-même. Et bientôt, votre vie semblera refléter une sorte d'équilibre. Cela deviendra une seconde nature pour vous que de vous arrêter et de passer de votre esprit à vos amis, de votre corps à votre famille. Lorsque nous alimentons chaque aspect de notre vie à parts égales, nous nous sentons entières et repues. Nous sommes alors en mesure de donner et de recevoir, de faire de chaque instant une occasion de véritable réciprocité.

Donc, pendant ce vol à destination de Chicago, j'ai conclu qu'il me suffisait de penser à une façon de prendre soin de moi tout en prenant soin des autres. Pour ce qui est de mon corps, je pouvais me rendre à un gymnase local pendant que les enfants faisaient la sieste ; je pouvais également aller à pied au marché d'alimentation et faire ainsi toutes mes emplettes. J'ai pris la résolution de m'installer dans un fauteuil tous les soirs en compagnie des merveilleux magazines de ma bru pendant que les nouveaux parents cajoleraient leur bébé. Le seul fait d'observer tout le bonheur qu'apporte un enfant revigorerait mon âge, mais je me rendrais tout de même à l'église catholique locale et prendrais le temps de glorifier le miracle de la vie. J'aurais beaucoup de temps pour les relations, il faudrait que je m'accroupisse sur le sol et que je joue avec mon petit-fils de deux ans, et aussi que je me rapproche de mon fils et de ma belle-fille en les aidant à relever les nouveaux défis qui s'imposent à toute famille qui s'agrandit.

Le simple fait de noter ou de penser à ce qu'il me fallait donner à mon corps, à mon esprit et à mon âme m'a permis de demeurer résolue et ferme devant les tâches qui m'attendaient, de ne pas perdre de vue les récompenses que j'en attendais et, plus important encore, d'ériger plus aisément des frontières autour de mon engagement. Voici ce qu'on arrive à faire lorsqu'on est une érudite du moi et de l'âme. De plus, dans ce processus au cours duquel vous céderez aux attentes d'autrui tout en demeurant loyale envers vos propres besoins, vous deviendrez votre entraîneur personnel. « Il s'agit tout simplement de prendre position sur ce qui compte vraiment », disait Joan Erikson, « et puis de vivre en fonction de vos idéaux sans jamais les laisser s'étioler. »

Je suis toujours surprise quand mon coureur de fils me rend visite. Peu importe les activités que nous avons planifiées, il trouve le temps de passer nous voir en coup de vent. D'un autre côté, il est notoire que j'envoie toujours voler mes bonnes intentions pour me plier à l'horaire des autres. Je fais la même chose lorsque je me mets au régime. Je trouve vraiment trop facile de tricher pour sentir que je fais partie du groupe ou de la journée, mais alors, bien entendu, je perds mon élan. Mon fils sait être son propre entraîneur. Il s'entraîne continuellement pour une course ou une autre. Il a toujours des buts qui l'obligent à demeurer sur sa trajectoire. Il inscrit dans un carnet tout ce qui touche à son entraînement, son alimentation et son programme d'exercice, et il a un calendrier distinct sur lequel il note ses progrès par rapport à ses buts, assumant simultanément ses responsabilités professionnelles et familiales.

Utilisez votre roue de l'équilibre annotée pour vous aider à demeurer sur votre trajectoire. Faites-en un standard que vous consulterez chaque fois que vous aurez besoin de soutien ou d'un rappel de vos buts. C'est ce qu'ont fait les femmes qui ont participé à mes retraites pour se motiver lorsqu'elles sont rentrées à la maison.

Donc, il convient maintenant de se poser les questions suivantes : « Combien de temps consacrez-vous aux autres et combien de temps vous réservez-vous ? Avez-vous nourri votre esprit récemment ? Avez-vous interrogé votre corps ? » Tout comme mon fils détermine chaque matin le moment où il courra, je me réserve aussi du temps pour moi seule dès mon réveil. Et quelles sont les récompenses que je touche? Je me sens comblée et je ne suis plus frustrée à l'idée d'avoir trop donné de moi-même.

Nous, les femmes, avons élevé à l'état d'art le dévouement à autrui. Nous devons maintenant nous occuper de nous-mêmes. Il est temps que nous cessions de tout donner et de nous résigner à répondre aux besoins des autres. Il nous faut maintenant faire taire cet instinct qui nous pousse à répondre à leurs demandes, faire taire les «je devrais» et les idéaux, et satisfaire nos propres besoins et désirs. Il faut nous abandonner à nous-mêmes. Ce n'est qu'ainsi que nous deviendrons celles que nous devons être. Hourra! Comme l'a dit Jean Shinoda Bolen: «L'harmonie existe quand le comportement et la croyance vont ensemble, quand nous habitons notre vérité la plus haute.»

RÉSUMÉ DE FIN DE CHAPITRE

- ➤ Lâchez prise devant les attentes d'autrui;
- ➤ Cherchez l'équilibre en nourrissant à parts égales chaque aspect de votre vie;
- ➤ Devenez votre entraîneur personnel;
- ➤ Érigez des frontières bien définies
- ➤ Constituez une banque de fiches de travail pour votre corps, votre esprit, votre âme et vos relations (voir page 161);
- ➤ Sachez quoi conserver et quoi jeter.

QUOI CONSERVER ET QUOI JETER

Joan Erikson et moi avons passé un après-midi à discuter de ce qui était vraiment important pour chacune de nous, et de ce qui ne l'était pas. Elle avait toute une vie sur laquelle revenir en arrière, et cela semblait tellement facile pour elle de faire la distinction entre le superflu et l'essentiel. Lorsque nous entreprenons de jeter un regard critique sur notre vie, il est important de savoir ce que nous aimons et ce que nous n'aimons pas, ce dont nous avons besoin et ce dont nous pouvons nous passer. Si nous ne comprenons pas nos désirs, nos passions et nos sentiments, comment pourrons-nous les défendre ?

Nous, les femmes, avons toutes été astreintes aux rôles, sentiments, comportements et besoins qui, nous a-t-on enseigné, devaient être les nôtres. La raison pour laquelle tant d'entre nous ne savent pas ce que nous voulons ou ressentons tient en partie du fait que nous n'avons jamais osé poser les vraies questions. Joan Erikson savait très bien ce qui était bon pour elle et ce qui rendait sa vie agréable. L'un des moyens qui lui avaient permis d'en arriver là était une liste qu'elle mettait constamment à jour, une liste de ce qu'elle devait conserver et de ce qu'elle devait jeter.

Voici quelques-uns des éléments qu'elle tenait à conserver dans sa vie : les secrets, l'entêtement, l'indépendance, les souvenirs, le droit de divorcer, la rédaction de son journal intime, le jeu, l'extase, les nouvelles expériences, l'aventure.

Et voici ce dont elle était prête à se débarrasser sur-le-champ : les regrets, les jugements, les vêtements ajustés, le désordre, les bas-culottes.

Pendant que vous apprenez à devenir votre entraîneur personnel, dressez une liste similaire. Ajoutez-y un élément chaque fois que quelque chose, ou quelqu'un, déclenche une réaction chez vous. En prenant note des attitudes que vous adoptez alors, vous serez en mesure de déceler des modèles de comportement. Avez-vous systématiquement envie de refuser les invitations à dîner d'une amie en particulier ? Eh bien, il est peut-être temps de commencer à le faire. La prochaine fois qu'elle vous appellera, dites-lui tout simplement non. Vous sentez-vous mieux chaque fois que vous portez votre nouveau chandail bleu ? Eh bien, achetez-en un autre, ou offrez-vous un nouveau vêtement de la même couleur.

Trouver l'équilibre et vous faire plaisir est simple : il suffit d'être à l'écoute de vos humeurs et de vos réactions en faisant preuve de la même sensibilité que lorsque vous êtes à l'écoute des humeurs et des réactions des êtres qui vous sont chers.

UNE BANQUE DE FICHES DE TRAVAIL

Si nous voulons devenir entières, nous devons prendre le temps de nourrir notre âme, nos relations, notre corps et notre esprit.

Constituez une banque de fiches de travail. Intitulez-les *âme, relations, corps, esprit.*

Que pourriez-vous faire chaque semaine pour égayer votre âme, vos relations, votre corps et votre esprit? Créez une fiche pour chacune de vos réponses.

Les femmes qui ont participé à mes retraites ont eu les idées suivantes:

Âme: Faire de la méditation, du yoga, une randonnée sur la plage, aller à un concert, au musée, à l'église

Relations: Jouer, chanter, danser, avoir des relations sexuelles, prier, tenir un bébé dans ses bras, être sensuelle, faire une expédition, partir toute une journée

Corps: Faire de l'exercice, du baladi, la grasse matinée, la sieste, aller chez l'esthéticienne, s'offrir un massage, allez au spa, nager, faire de la bicyclette, courir

Esprit: Suivre un cours, assister à une conférence, lire, écrire, tenir un journal intime, communiquer, créer un club de lecture

Gardez ces fiches à portée de la main et tentez d'en utiliser une par semaine dans chaque catégorie. Si vous négligez une catégorie, vous devrez mettre les bouchées doubles la semaine suivante afin d'enrichir cet aspect de votre vie.

Petit à petit, vous prendrez l'habitude de vous faire plaisir.

QUESTIONNAIRE **DONNEZ ET RECEVEZ**

« S'il est dans la nature de la femme de soigner,
alors elle doit également se nourrir. »

Anne Morrow Lindbergh

1. Répondez aux questions suivantes sur une feuille de papier ou dans votre journal intime :

   « Pendant combien de temps avez-vous été au service des autres ? »

   « Combien de rôles jouez-vous ou avez-vous joués ? »

2. Inscrivez le nombre de fois où l'on vous demande chaque jour de :

   Donner de votre temps ;

   Donner de votre énergie ;

   Donner de vos idées ;

   Offrir votre sympathie ou votre soutien ;

   Écouter et répondre.

3. Maintenant, inscrivez le nombre de fois où, pendant cette même journée, quelqu'un vous a :

   Offert de l'aide ;

   Fait spontanément quelque chose pour vous, sans que vous le demandiez ;

   Nourri, au sens figuré ;

   Écouté et répondu ;

   Offert sa sympathie ou un soutien émotionnel ;

   Surpris en anticipant l'un de vos besoins.

Donnez-vous plus que vous recevez? Si c'est le cas, vous devez vous efforcer de renverser la situation. Vous ne pouvez pas obliger les autres à donner, mais vous pouvez veiller à vous réserver autant de temps que vous leur en consacrez.

DIMANCHE APRÈS-MIDI

Régénérez-vous
en entreprenant
votre second voyage

Rassemblez vos forces et commanditez-vous

« Nous, les êtres humains, sommes à la recherche du sens de notre existence, à la recherche de nous-mêmes. Une partie infime de ce que nous sommes déjà nous apportera le bonheur et une signification plus profonde. Nous sommes nés pour avoir une signification, et non pas pour connaître le plaisir, à moins que ce plaisir ne baigne dans la signification. Nous sommes nés pour nous dépasser. Nous sommes des chercheurs. »

JACOB NEEDLEMAN

Commencez votre second voyage

C'est soudain notre dernier après-midi ensemble. Bien qu'arborant toujours un visage frais et ouvert, les femmes ne peuvent s'empêcher de s'inquiéter de leur avenir, non pas d'un avenir lointain, mais de ce qui les attend immédiatement après cette retraite. Elles ont fait face à tout ce qui les concerne – la forme de leur visage, leur hérédité, les limites de leur éducation, leur soi-disant manque de talent, les restrictions qui ont été gravées dans leur imagination, les défauts de leur corps ou de leur personnalité, les choix dans lesquels elles se sont emprisonnées, leurs responsabilités – et elles sont impatientes de reprendre le cours de leur vie inachevée. Elles voient maintenant d'un autre œil le mépris qu'elles ont nourri envers leurs défauts ou de mauvaises décisions ; il est devenu une matière première riche et fertile avec laquelle travailler. Mais elles savent toutes que de grands défis les attendent encore.

« Le travail que vous avez accompli jusqu'à maintenant, dis-je à ces femmes, vous a engagé sur une nouvelle voie à votre insu, et je suis prête à parier qu'il n'y aura pas de retour en arrière pour la majorité d'entre vous. Vous avez participé à cette retraite parce que vous étiez arrivées à un carrefour, n'est-ce pas ? Et maintenant, fortes d'une perception nouvelle et d'une intuition ravivée, vous entreprenez ce qu'on appelle un "second voyage". » Elles me regardent alors d'un air perplexe.

« J'ai découvert ce voyage que peu de gens connaissent il y a quelques années lorsque j'ai lu l'ouvrage intitulé *Second Journey* du père Gerald O'Collins. Il y décrit précisément ce que je cherchais lorsque je me suis enfuie et ce que je suppose que vous aussi cherchez toutes. Selon M. O'Collins, ce second voyage commence lorsque le pouvoir de la jeunesse n'est plus, lorsque les rêves de nos jeunes années commencent à nous paraître superficiels et absurdes, lorsque l'anxiété et le doute de soi font surface, et lorsque l'éventualité de l'échec devient manifeste.

« Comme nous en avons toutes fait l'expérience, le désarroi naît lorsque le « programme » arrive à son terme – lorsque les tâches prévisibles ont été accomplies, lorsqu'on se surprend à dire : "Et maintenant, qu'est-ce que je fais ?" Dans une société qui est prête à envoyer les gens qui sont entre deux âges vivre dans des quartiers fermés et les vieillards dans des maisons de retraite, un grand nombre d'entre nous a le sentiment qu'il est urgent de trouver un mode de vie qui est original et excitant.

« C'est ici qu'entre en jeu la notion de second voyage. Vous vous engagez alors sur un sentier parsemé d'embûches imprévisibles, un univers de risques et d'inconnus, mais si vous osez jeter un regard sur ce qu'est devenue votre vie, vous conviendrez qu'il est temps d'agir. Typiquement, ce second voyage commence lorsqu'un tourbillon de changements déclenche un maelström de sentiments, des changements tels qu'une trahison, une perte d'emploi ou de revenus inattendue, un diagnostic inquiétant, la mort d'un être cher. Bref, ce sont ces changements qui vous ont coupée dans votre élan. Si vous analysez vos sentiments, vous constatez que vous devez tout simplement vous arrêter, vous éloigner de la monotonie du quotidien et des gens qui vous entourent, dévier du connu et vous aventurer dans l'inconnu.

« C'est précisément ce que vous avez fait en participant à cette retraite d'un week-end. Pendant votre séjour, vos valeurs et vos buts ont changé. Vous avez réalisé que vous êtes arrivée à un carrefour et que vous seule devez décider de la direction à prendre. Robert Frost a écrit: "Dans une forêt, à la croisée de deux chemins, j'ai opté pour le moins fréquenté." Ce second voyage comportera son lot d'épreuves, et le choix d'une nouvelle direction ne sera pas le plus facile d'entre elles. Mais ce qui distingue ce type de voyage, c'est qu'il nous pousse à aller de l'avant de façon significative.

« Au cours d'une excursion jusqu'à un étang non loin d'ici, j'ai croisé la route d'une famille de grenouilles qui se dirigeait en sautant vers la rive d'un marécage. Leurs yeux globuleux, leurs petites bedaines palpitantes et leur voix drôle et gutturale m'ont hypnotisée. Mais le moment d'émerveillement a eu lieu lorsque j'ai réalisé que, pas une fois, elles n'avaient fait un saut en arrière. J'ai appris plus tard que les grenouilles ne le font jamais, elles vont toujours droit devant. Quel beau symbole pour nous, femmes en transition: en avant, plus loin, sans même jamais songer à revenir en arrière !

« Je suis fascinée par cette idée de toujours regarder en avant depuis ma première rencontre avec Joan Erikson sur la jetée. Lorsqu'elle a suggéré que nous marchions jusqu'à son extrémité, j'ai été étonnée parce que le temps était brumeux et orageux, et que la mer agitée envoyait culbuter les vagues sur les rochers. Elle a remarqué mon hésitation et a dit aussitôt: « J'ai laissé beaucoup de bagages sur le rivage, ma chère. J'essaie de ne pas regarder en arrière et de ne pas m'attarder sur le passé. Ce qui se passe devant moi m'intéresse beaucoup plus.»

«Cette escapade d'un week-end marque le début d'un second voyage que vous poursuivrez lorsque vous rentrerez à la maison. Vous continuerez d'aller de l'avant, car vous avez découvert ce que c'est que de se sentir bien dans sa peau, d'être seule et d'adorer ça, d'être libre. Rappelez-vous : si maman n'est pas heureuse, personne n'est heureux. De plus, vous n'avez plus le choix, n'est-ce pas ? Vous retournerez toutes à un téléphone qui sonne, à des êtres chers qui ont besoin de vous, à des amies curieuses et à un travail exigeant, mais l'ordinaire n'est plus une option. Votre voie est maintenant pavée de nouvelles intentions. Il est temps de rassembler vos forces et de vous commanditer.»

Une incarnation du second voyage

De nombreuses femmes se sentent accablées à l'idée d'entreprendre un second voyage, car il met l'accent sur le mot « inachevé », qui laisse croire que la destination est pratiquement hors de vue. Heureusement, vous pouvez bénéficier des témoignages d'autres femmes qui ont modifié leur trajectoire, se sont lancées dans de nouvelles aventures et se sont réinventées. Ellen, cette femme dont nous avons déjà parlé, dit qu'elle est l'incarnation de ce second voyage.

> *« Tout avait basculé dans ma vie lorsque j'ai décidé de participer à une retraite. Mon fils aîné était parti étudier au collège ; mon autre fils avait obtenu son permis de conduire et avait tout simplement quitté le nid ; mon mari, qui souffrait d'une dépendance aux médicaments d'ordonnance, avait suivi une cure de désintoxication ; la maison dont la construction s'était étalée sur de nombreuses années était enfin terminée, ainsi que les éternelles questions des ouvriers ; et pour couronner le tout, il n'était plus nécessaire que je travaille pour mon mari et je pouvais désormais jouir d'un horaire plus souple – plus personne n'avait autant*

besoin de moi, et notre situation financière s'était grandement améliorée. Bref, je me suis soudain sentie inutile !

« Tout d'abord, j'ai recommencé à m'entraîner au tapis
roulant, j'ai passé davantage de temps à l'extérieur, j'ai
regardé des rediffusions de Seinfeld et je me suis occupée du
chien. Et puis, j'ai commencé à assister à des rencontres
d'Al-Anon afin de mieux comprendre le nouveau comportement de mon mari. Et c'est alors que j'ai compris à quel
point j'étais codépendante. Cette découverte m'a poussée à
entreprendre diverses choses, comme assister à des réunions
de la kabbale (mysticisme judaïque), suivre un cours de
photographie et constituer un groupe de femmes qui, comme
moi, avaient vu leur nid se vider de ses occupants.

« L'une d'elles m'a offert An Unfinished Marriage et A Year
by the Sea. J'ai lu ces deux ouvrages et puis j'ai participé à
une retraite d'un week-end, une expérience qui m'a donné
des outils extraordinaires. Pour la première fois, j'ai été
capable de me défaire de ma dépendance aux autres ; je suis
parvenue à me voir comme un individu à part entière, et
non pas comme le "quelque chose de quelqu'un". Toutefois,
je ne savais pas encore avec certitude comment aller de
l'avant.

« Entre-temps, mon mari était entré dans un tout nouveau
monde où je n'avais pas vraiment ma place. Il est rapidement
devenu évident que nous étions deux âmes en peine chemi-
nant dans des directions très différentes. Il a fallu que je
fasse mon deuil de ce mariage à la dérive et j'ai eu beaucoup
de mal à lâcher prise. Et puis, un jour que je me trouvais
au supermarché, je me suis demandé pourquoi j'étais en
train d'acheter des produits d'entretien pour une maison
vide ! Plus personne n'y vivait vraiment. Les enfants étaient
partis. Mon mari aussi. Et même moi, je m'en étais détachée !
J'ai donc retiré tous ces produits du panier, les ai replacés
sur les tablettes et suis sortie du magasin les mains vides.
J'avais l'impression de jouer dans un film, et je pouvais

entendre toutes les spectatrices qui m'acclamaient. Et c'est
comme ça que j'ai créé ma nouvelle vie.

« J'ai immédiatement senti la liberté dont j'avais fait l'expé-
rience pendant le week-end passé au bord de la mer. Et plus
je passais de temps seule, plus je m'accordais la priorité. J'ai
continué à chercher ma voie en consultant des guérisseurs
et des thérapeutes, et j'ai commencé à vraiment adorer ce
travail d'exploration. Premièrement, j'ai compris que l'on ne
sait jamais quand, où, ni encore si le voyage se terminera.
Trébuchements, chutes et réflexions en font intégralement
partie.

« Sur une note plus personnelle, j'ai appris pendant ma
thérapie que, au cours de toutes ces années, j'avais imité ma
mère rationnelle qui riait peu et qui savait si bien se maîtri-
ser. Il y avait longtemps que je m'étais détachée de mon moi
sauvage, gai et passionné. Il fallait que je retrouve cette
passion, il fallait que je caresse mes propres rêves, et non
plus seulement me contenter de partager ceux de mon mari.
Donc, lorsque j'ai entendu parler d'un programme d'un an
qui me permettrait de devenir aidante professionnelle, je
me suis inscrite. Je me sentais soudain très attirée par le
domaine du soutien à autrui, et j'ai trouvé l'assurance
nécessaire pour franchir de seuil de la première porte qui
s'ouvrait devant moi. »

Dans son ouvrage intitulé *Transitions de vie : comment s'adapter*
aux tournants de notre existence, William Bridges dit que les transitions qui accompagnent la seconde moitié de notre vie offrent une
occasion toute spéciale de rompre avec le conditionnement social et
de faire quelque chose de nouveau et de différent. C'est exactement
ce qu'a fait Ellen. Elle a reconnu ses dons et ses passions, et elle a
décidé de commencer à s'en servir. Son moi authentique n'était plus
occulté par ce qu'elle était censée être. Elle avait atteint la maturité
et découvert ce que cela signifiait pour elle.

Une bonne vie est la meilleure des revanches

L'histoire d'Ellen a inspiré de nombreuses femmes. Après tout, l'écrivain George Herbert a dit : « Bien vivre est la meilleure des revanches. » Une fois que vous êtes sortie de l'ornière et que vous avez commencé à reprendre le contrôle de votre vie, la prochaine étape consiste à vous créer une bonne vie. Tout comme Ellen l'a appris, on ne devient une nouvelle femme que lorsqu'on cesse d'être celle qu'on a toujours été. Votre but est de transformer cette crise qui survient à la mi-temps de votre vie en une expérience de découvertes de mi-parcours. Il suffit que vous suiviez le conseil du théologien Frederick Buechner : « Écoutez votre vie pour en découvrir le mystère insondable. »

Ellen est l'incarnation de la femme qui a su réagir aux changements qui ont bouleversé sa vie et, ainsi, permettre à ses propres rêves de se concrétiser. Nicole, pour sa part, était également plongée dans une spirale de changements, mais elle a fait taire ses souhaits et désirs personnels afin de minimiser l'impact de la crise. Ses enfants avaient quitté la maison, son mari avait changé d'emploi, et son père était devenu de plus en plus dépendant, mais Nicole a fait tout ce qu'elle a pu pour museler ses sentiments afin de ne pas faire tanguer la barque. « Je bouillais de colère », m'a écrit cette libraire aux manières si douces après avoir participé à une retraite, « mais j'étais en même temps figée, comme gelée.

> « J'avais vécu pendant 30 ans en refoulant pratiquement toutes mes émotions afin de ne pas faire de vagues. Et puis, j'ai découvert votre livre. J'ai été captivée par la couverture et je suis allée dans l'arrière-boutique de ma librairie pour le lire. Vos sentiments étaient mes sentiments. En général, je n'annote pas un livre, mais je n'ai pas pu m'empêcher de tout souligner ! Il fallait que je participe à l'une de vos retraites d'un week-end, cela ne faisait aucun doute. Pendant mon séjour au cap Cod, le livre a pris vie. Cet isolement et la rencontre d'autres femmes qui pensaient exactement comme moi ont changé mon attitude. J'ai réalisé pour la

toute première fois que je ne m'étais jamais réservé un week-end pour moi seule. C'était lamentable! Mais qu'est-ce qui m'arrive?, me suis-je demandé. Quelle sorte d'idiote es-tu, Nicole, pour n'avoir jamais rien fait de tel auparavant?

« Lorsque je suis retournée en Californie, j'ai aussitôt repris mes anciennes habitudes, fuyant systématiquement le changement et les conflits. Je m'étais sentie si bien après la retraite et j'avais pensé que cela serait suffisant. Mais lorsque l'euphorie a commencé à se dissiper, j'ai cru devenir folle. Tout ce que j'avais gardé bien capsulé en moi a commencé à déborder. Mon pauvre mari n'y comprenait plus rien, car la femme aux manières si douces qu'il avait toujours connue est soudain devenue acerbe et obstinée. Mais il n'est pas demeuré indifférent et il m'a écoutée.

« L'intention que j'avais formulée pendant la retraite était de faire preuve d'honnêteté. Je savais que, pour vivre pleinement ma vie, il fallait que je cesse d'être aussi secrète. Donc, lorsque j'ai senti que mon angoisse existentielle tentait de nouveau de m'emprisonner dans sa spirale, je lui ai tout simplement permis de s'exprimer. Je me suis obligée à exposer au grand jour tout ce que j'avais pensé et ressenti pendant de nombreuses années. J'ai parlé de mes aspirations, de mon désir de vivre un jour dans un lieu qui connaît le rythme des saisons, de retourner au cap Cod et de tout faire pour cesser de vivre comme je l'avais toujours fait.

« J'ai eu très peur lorsque j'ai commencé à exprimer tout ce que je ressentais. J'étais tellement habituée à tout garder à l'intérieur et à demeurer silencieuse. Mais plus je m'épanchais, plus je sentais renaître en moi la force et l'euphorie. Et mieux encore, mon mari nous a surpris tous les deux et a facilité les choses.

« Il a compris, du moins en partie. Nous avions prévu rénover la cuisine cet été, mais lorsque je me suis tue, il m'a regardée et m'a dit: "Veux-tu vraiment rénover la cuisine

cet été, ou préfères-tu faire un voyage à travers le pays?" Nous avons fait ce voyage en voiture, je suppose qu'on pourrait le qualifier de voyage libérateur. J'avais besoin de m'épancher et d'apprendre à être plus honnête, mais pour échapper à la stagnation qui caractérisait maintenant notre vie, nous allions devoir travailler ensemble et ramener notre relation sur la même longueur d'onde.

« À part quelques petits problèmes au début, ce voyage s'est révélé un merveilleux revirement pour chacun de nous. Nous avons ri et parlé, et nous avons échangé nos idées sur tout et chaque endroit que nous avons visité. Nous avons finalement acheté un gîte touristique à Woodstock, dans le Vermont, et nous sommes allés nous établir dans l'Est. Nous avions passé les 30 premières années de notre mariage à rendre misérable notre vie commune parce que nous étions trop prudents, renfermés et conventionnels. Les 30 prochaines années seront consacrées à rendre notre vie merveilleuse. »

Nous sommes à l'image de nos choix

Tant Ellen que Nicole avaient besoin de renouer avec une passion et d'apprendre à faire les gestes qui leur permettraient de concrétiser leurs rêves. Elles ont compris instinctivement qu'avoir un sens du soi ne signifie pas connaître les réponses, comme l'a expliqué Carl Jung, mais être conscient que la vie elle-même, après tout, est une réponse!

Cependant, ce ne sont pas toutes les femmes qui participent à mes retraites qui écoutent leur voix intérieure ou savent y répondre aussi rapidement. Il m'a fallu plusieurs années après celle que j'ai passée au bord de la mer pour réaliser de quelle façon mes valeurs et mes besoins avaient réellement changé, et puis j'ai dû m'interroger longuement afin de déterminer la voie sur laquelle je devais m'engager. Denise a elle aussi dû se heurter à ce dilemme. Vous vous rappelez sans doute qu'elle a passé six semaines au cap Cod. Lorsqu'elle est rentrée chez elle, elle se demandait encore, entre autres choses, si elle devait mettre un terme à son mariage. N'ayant jamais eu d'enfants, seule sa propre personne entrait en ligne de compte. Et pourtant, elle était désemparée. Je lui ai suggéré de coucher sur papier toutes les choses qui la passionnaient. Elle a donc dressé une liste variée mais concrète, comprenant des éléments tels que :

Photographie, intérêt humain ;

VIH / SIDA en Afrique ;

Études féministes / problématique hommes-femmes / sexualité ;

Cap Cod.

Un après-midi, elle s'est rendue à un rendez-vous à l'université qu'elle avait déjà fréquentée afin d'y discuter d'un programme de maîtrise en études féministes, l'élément de sa liste qui représentait le moins de risques à ses yeux. Lorsqu'elle est entrée dans l'ascenseur, elle a vu un feuillet collé sur le mur du fond annonçant une séance d'information destinée aux gens intéressés à travailler auprès de familles aux prises avec le VIH/ SIDA au Kenya. « J'ai alors entendu un appel », m'a-t-elle dit récemment.

> « Je ne suis pas allée à mon rendez-vous et j'ai suivi mon instinct. À la fin de la journée, je m'étais inscrite, avais signé un chèque et commencé à faire mes bagages. Je n'y ai pas repensé à deux fois, je n'ai même pas demandé son avis à mon mari. Je savais que cette décision serait à l'origine d'autres changements. Et dès que je l'ai prise, j'ai su que je venais de faire un premier pas très important.

> « Pour la première fois de ma vie, je sens que je suis sur la bonne voie, ma voie. Je suis capable de faire confiance au voyage, et je ne m'inquiète même pas d'atteindre tel ou tel but ou d'imaginer de quoi aura l'air mon avenir. Bien entendu, j'apporterai mon appareil photo. Et peut-être qu'un livre naîtra de cette aventure ! »

Denise, comme Ellen et Nicole, a appris à écouter son cœur et à faire des choix pour elle-même, sans attendre que le choix parfait et le plus sensé s'impose de lui-même. Il en résulte qu'elle se sent ravie, et non plus piégée. «Nos choix reflètent notre vrai moi», a dit Jean-Paul Sartre. En effet, avec chaque pas que nous faisons, chaque occasion que nous osons saisir, nous touchons en récompense une vie plus excitante et une confiance en nous accrue.

Des carrefours sans fin, des choix multiples

Tout juste à côté de ma porte d'entrée, il y a un mur qui est couvert de croix que j'ai collectionnées au fil des ans. Bien que je sois croyante, ces croix n'ont pas de caractère religieux à mes yeux – elles sont plutôt un rappel constant des nombreux carrefours auxquels je suis arrivée dans ma vie et des choix que j'ai dû faire chaque fois. Ce mur m'invite à toujours regarder en avant, à garder l'esprit ouvert, et à accueillir favorablement ce qui se présente à chaque tournant. Une bonne façon de vous aider à aller de l'avant pendant votre second voyage consiste à examiner le nombre de choix qui s'offrent actuellement à vous.

Pendant mes retraites d'un week-end et les ateliers que j'anime un peu partout, je distribue une feuille de papier couverte de croix vierges, comme à la page 179. Reproduisez ce genre de schéma sur une feuille de papier ou dans votre journal intime. Au centre de chaque croix, inscrivez une catégorie ou une question précise sur laquelle vous vous interrogez en ce moment. Tentez-vous de déterminer si vous devez changer d'emploi? Ou mettre un terme à une relation? Ou peut-être êtes-vous malheureuse et vous sentez-vous coincée dans votre corps ou votre situation financière? Peu importe ce qui vous empêche d'avancer, inscrivez-le au centre de la croix.

Maintenant, prenez le temps de vous interroger sur les options qui s'offrent à vous. Trop souvent, nous n'agissons pas parce que nous ne voyons qu'une ou deux possibilités alors qu'il y en a beaucoup d'autres. Soyez aussi ouverte et imaginative que possible dans votre réflexion. Ne vous arrêtez pas aux aspects relatifs à la logistique ou à votre entourage, et inscrivez les options qui vous viennent à l'esprit dans chaque bras de la croix. Lorsque j'ai conçu cet exercice, j'avais des problèmes dans des catégories telles que mon travail, le plaisir, ma famille, mon environnement familial, ma situation financière et mon corps. Je me sentais paralysée par l'insatisfaction que j'éprouvais dans chacune de ces catégories.

Je ne voyais aucune solution, et j'avais peur de ce que je pourrais découvrir, ou ne pas découvrir, si j'osais prendre un peu de recul et analyser la situation. Et puis, j'ai lu quelque chose qu'a écrit Maya Angelou. Elle voit chaque nouvelle voie possible comme une simple aventure, et elle est d'avis que nous sommes faites pour emprunter autant de voies que nous le souhaitons. Si l'une ou l'autre de ces voies ne nous apporte pas la satisfaction voulue, il suffit de revenir au centre et d'en choisir une autre. Il suffit de gratter la surface de n'importe quel problème pour que jaillissent les possibilités. Nos rêves ne peuvent demeurer vivants que si nous poursuivons le voyage. Ce mouvement perpétuel et la curiosité vous conduiront éventuellement à la destination voulue. Il est temps de vous mettre en route et de goûter à votre territoire inexploré.

Lorsque vous avez rempli une croix, mettez-vous au défi d'explorer chacune des voies que vous y avez inscrites. On ne sait jamais à l'avance quelle voie nous permettra de franchir un carrefour. L'une des astuces de cet exercice, c'est qu'il vous pousse à faire preuve d'ouverture d'esprit en envisageant divers choix et, tout aussi important, à modifier votre attitude en accueillant favorablement n'importe quelle option et en y voyant une possibilité d'aventure.

Faites preuve d'audace

Même si nous pouvons discerner dans quelle voie nous engager, il arrive que des gens de notre entourage nuisent à notre progression. Pour surmonter de tels obstacles, nous devons être prêtes à lancer des ultimatums, à prendre position et à être vues comme de méchantes filles.

Récemment, j'ai eu une conversation avec une cousine et j'ai senti qu'elle était rageusement agressive et portait des jugements. Au

début, j'ai tenté de tenir bon et de poursuivre la discussion, et puis j'ai tout simplement cessé de parler. Bien que je me sentais incroyablement confuse et blessée, j'ai également réalisé qu'il n'était plus dans ma nature de me montrer hostile ou catégorique, que je préférais entretenir de vraies conversations, échanger des idées et faire valoir mes opinions tout en apprenant quelque chose dans le processus, je l'espère.

Mais je comprends également qu'on ne peut changer la nature d'une autre personne – qu'on ne peut, par exemple, obliger quelqu'un à se convertir au christianisme et à croire en Jésus-Christ, quelle que soit l'importance que cette croyance ait à nos yeux. Par conséquent, alors que vous vous épanouirez et changerez, il se peut que vous perdiez des amis en cours de route. Dans le cadre de relations à long terme, nous nous laissons aisément prendre au piège des habitudes et des attentes. Nous avons encore et encore les mêmes conversations avec les mêmes personnes. Mais de temps en temps, il faut être capables d'actualiser notre discours et de permettre aux gens, et aussi à nous-mêmes, de parler, de réagir ou de participer d'une manière nouvelle. Les relations ne peuvent s'épanouir que lorsque les esprits se rencontrent, que lorsque chaque partie souhaite continuer à chercher, à se développer et, en fin de compte, à évoluer.

L'excellent conseil d'Erin Brockovich résume bien ce point : « Si vous n'ennuyez pas quelques personnes, si vous ne faites pas froncer quelques sourcils, vous ne vivez pas assez intensément. » Lorsque j'ai pris cette affirmation à cœur, il a été plus facile pour moi d'amorcer le processus d'une vie plus intense, laissant ainsi plusieurs personnes derrière moi en cours de route. De nombreuses femmes qui ont participé à mes retraites utilisent l'euphorie qu'elles ont ressentie le dimanche pour faire preuve d'audace une fois de retour à la maison. Rachel a dit à son mari, un joueur compulsif, de se faire soigner ou de prendre la porte ; DeeDee, qui avait suivi son mari contre son gré dans une autre ville, a décidé de retourner là d'où elle venait, de peindre et de se rapprocher de ses amies ; Susannah a signifié son congé à cet amant-qui-n'était-pas-bon-pour-elle et a trouvé un emploi dans un État voisin, loin de la tentation que lui inspirait cette relation de dépendance ; Pat a quitté son emploi et un salaire de six chiffres pour ouvrir une petite pépinière et un jardin d'herbes aromatiques; Maria a commencé à dire non aux relations sexuelles, sauf si c'était elle qui en prenait l'initiative. Toutes ces femmes savaient que, pour accéder à la liberté dont elles avaient besoin et à laquelle elles aspiraient, elles devaient d'abord faire un geste audacieux.

Certaines femmes doivent surmonter des obstacles plus subtils et plus personnels dans leur quête d'un nouvel élan. Elles doivent parfois cesser de se mêler de la vie des autres; ou avoir le désir de vivre plus intensément que prudemment; ou développer un intérêt dans l'exploration de choix non conventionnels en ne se souciant pas de la réaction des autres. Lorsque vous vous engagez à réinventer votre vie, lorsque vous acceptez le fait que vous avez entrepris votre second voyage, il importe alors d'agir avec courage et d'éliminer tous les obstacles qui jalonnent votre nouvelle trajectoire.

Que retirez-vous lorsque vous osez envisager tous les choix qui s'offrent à vous et que vous optez pour ceux qui ne parlent qu'à vous? Que se passe-t-il lorsque vous prenez position et décidez de vivre de façon audacieuse? Eh bien, vous commencez à réaliser que vos rêves sont possibles. Vous trouvez un nouveau sens à votre vie. Vous devenez vive et vivante. Comme l'a dit Gœthe: «Celui qui cherche la plénitude de la vie sera fasciné lorsqu'il la trouvera.»

RÉSUMÉ DE FIN DE CHAPITRE

➡ Représentez graphiquement toutes les options qui s'offrent à vous;

➡ Faites preuve d'audace;

➡ Choisissez de vivre vos passions, grandes ou petites;

➡ Collectionnez les compliments.

DES VOYAGES BREFS MAIS PUISSANTS

Le second voyage peut prendre des proportions et des formes différentes, et il ne se mesure pas au nombre de sommets atteints ou de marathons courus. Même un bref voyage peut avoir un impact significatif sur le cours global et la couleur de votre vie. Il s'agit de savoir embrasser l'imprévisible, de vous désengager avec créativité du quotidien et de votre entourage, de suivre votre instinct, quelle que soit la forme qu'il prend. Toute activité a le potentiel de se transformer en terrain fertile et de favoriser la croissance. De nouveaux engagements revivifient tout particuliè-rement vos perspectives du point de vue intellectuel, émotionnel, spirituel et physique. Et au cours de ce processus, ils jettent la lumière sur des voies inattendues.

Lorsque Joan Erikson a découvert la danse moderne, elle a été pratiquement prise de vertige. « Je peux faire cela, c'est évident que je peux le faire », avait-elle affirmé à qui voulait bien l'entendre. « Je trouve merveilleux d'utiliser chaque partie de mon corps. » Elle avait toujours eu le pressentiment que son corps était sa force et qu'elle pouvait l'utiliser pour autre chose que faire des bébés et accomplir ses tâches quotidiennes. « La danse m'a aidée à rompre avec les règles, m'a-t-elle expliqué. La danse est fluide. Elle me rend plus souple et physiquement présente, et donc plus enthousiaste par rapport à la vie ! Lorsqu'on danse, on exprime avec tout son corps ce pour quoi on n'a pas de mots et, avec le temps, on touche à l'extase dans toute sa pureté. »

Une de mes amies a connu le même ravissement lorsqu'elle a décidé de se remettre à peindre sérieusement. « Oh, j'ai enseigné la peinture à l'école secondaire, mais je n'arrivais jamais à trouver le temps de me lancer dans une carrière à temps plein. Lorsque les enfants ont quitté la maison, j'ai transformé l'une de leurs chambres en atelier et j'ai commencé à peindre. J'ai découvert que je ne pouvais plus m'en passer. Récemment, j'ai non seule-ment fait ma première exposition solo, mais une amie et moi avons conçu un programme à l'intention des femmes qui souhaitent se redécouvrir à travers l'art, la tenue d'un journal intime, la rédaction de leurs mémoires et la remise en forme physique.

«J'ai le sentiment d'avoir trouvé une place qui m'appartient dans ma vie, et j'ai envie d'encourager d'autres femmes à trouver une issue à la stagnation dans laquelle elles baignent.» Son enthousiasme était tellement contagieux que même son mari s'est intéressé à son travail. Lors de son vernissage, il a été ébloui par la foule présente et l'énergie qui s'en dégageait, et c'est avec joie qu'il a apposé une petite étiquette avec la mention «vendu» sur de nombreuses toiles.

La majorité d'entre nous rêve de nous sentir entières. Nous rêvons d'exposer au grand jour ces ressources qui nous appartiennent, mais que nous n'avons jamais eu l'occasion, ou le courage, d'utiliser. Il nous faut littéralement recommencer encore et encore, pendant toute notre vie. Nous ne pouvons pas réellement savoir ce que nous sommes censées faire tant que nous ne prenons pas le temps d'expérimenter ceci ou cela et puis de ranimer la flamme. L'expérimentation est la seule façon de mettre fin à la stagnation.

Nous avons toutes des penchants, des idées bien à nous, une certaine «façon» de voir les choses. Lorsque nous parvenons enfin à ne plus les écarter comme des non-sens, alors nous nous donnons la chance de trouver ce qui nous rendra véritablement heureuses. Le second voyage commence avec une intuition, une prémonition, un désir de renverser une situation qui nous déplaît. Il prend forme lorsque nous prenons conscience de ce qui nous empêche d'être heureuses et osons partir à la découverte de qui nous sommes vraiment.

Des gens bien connus ont entrepris un second voyage. Jimmy Carter a dû recommencer de zéro après avoir été défait lorsqu'il a sollicité un deuxième mandat à la présidence des États-Unis. Il s'est alors posé la même question que nous nous posons : «*Qu'est-ce que je vais faire maintenant?*» Après de nombreux faux départs et des heures de débat intérieur, il s'est intéressé à la construction d'une maison à la fois et est devenu un fer de lance pour l'organisme Habitat pour l'humanité.

Mère Teresa était arrivée à la conclusion qu'une vie de célibat n'avait aucun sens pour elle. Elle détestait l'idée qu'on puisse lui apposer une étiquette de dilettante, et c'est avec empressement qu'elle a répondu à l'« appel » de Dieu. C'est donc à ce moment-là, âgée de 40 ans, qu'elle a entrepris son second voyage et fondé une congrégation de religieuses qui allaient se consacrer à aider les plus pauvres des plus pauvres en Inde.

La quête d'une existence authentique vaut bien chaque effort que vous y mettrez, car les récompenses ne rejailliront pas uniquement sur vous, mais aussi sur tous ceux qui vous entourent. Le psychothérapeute Douglas LaBier, un spécialiste des relations hommes-femmes, croit que dans un couple, chaque partenaire doit quitter la relation, métaphoriquement parlant ou au sens propre, pour trouver sa voie et puis revenir avec une énergie renouvelée qui ranimera la flamme. Les relations à long terme ont besoin d'une nouvelle énergie pour durer, et cette énergie peut être trouvée lorsque l'un ou l'autre des partenaires s'épanouit ou change.

En fait, après l'année que j'ai consacrée à ma quête, mon mari a constaté les récompenses que j'avais tirées de cette expérience et a voulu se réinventer lui aussi. Au lieu de demeurer sur la touche en tant qu'observateur, il s'est plongé dans sa propre quête, à la recherche d'aventures et de nouvelles vocations. De bénévole à la ville, il en est devenu un représentant élu, d'inspecteur de l'enseignement de l'État, il est devenu président par intérim d'un collège. Alors que ma notoriété en tant qu'auteure grandissait, sa vie s'enrichissait. Nous œuvrons tous les deux dans de nouveaux domaines, et l'excitation que nous ressentons a donné un nouveau souffle à notre mariage.

« Tu ne peux pas voyager sur un chemin sans être toi-même le chemin », a dit Gautama Bouddha. Le fait de devenir productive et proactive au moyen de gestes petits et grands ajoute de la couleur à votre vie, comme le crocus qui surgit d'un blanc manteau de neige. S'engager sur une nouvelle voie apporte de la satisfaction et un espoir nouveau. En effet, passer à l'action, quelle que soit cette action, prouve que l'on peut transcender le rêve. Une voie conduit à une autre voie ; nous assistons à la renaissance d'une force et d'une passion qui étaient assoupies depuis trop long-temps. Et nous ne pouvons que constater que nous avons du plaisir en cours de route.

Alors, n'hésitez pas – ne reculez devant rien. Allez au-delà du familier. Qui sait où un cours de peinture pourrait vous mener, comment un cours de baladi pourrait contribuer à votre bonheur et à l'atteinte de vos buts, ou encore ce que pourrait vous apporter un entraînement pour une course à vélo, ou la lecture d'un livre chaque mois sur un sujet à chaque fois différent.

Être une érudite du moi et l'âme est un travail à temps plein. La meilleure façon de continuer à «étudier» consiste à explorer toutes les possibilités qui s'offrent à vous. Éventuellement, vous entendrez un appel et c'est alors que commencera votre second voyage. Nous nous devons toutes à nous-mêmes une vie bien remplie. Nous avons toutes en nous la force et la créativité nécessaires pour bâtir quelque chose à partir de zéro.

De plus, comme le dirait Joan Erikson : «C'est faire preuve de faiblesse que de rester assise et d'attendre que la vie vienne à nous.» Vivre de façon créative n'exige pas un investissement d'énergie démesuré. Pour remodeler notre vie, il suffit que nous tendions vers ces valeurs que nous avons découvertes et qui nous paraissent significatives et vitales. Ce que nous cherchons nous cherche.

QUESTIONNAIRE **SECOND VOYAGE**

- Avez-vous dû faire face au changement au cours des dernières années?

- Avez-vous traversé une crise existentielle?

- Avez-vous ressenti le besoin de partir, de voyager seule, de vivre une aventure, d'être indépendante pendant un moment?

- Si vous avez déjà fait ce voyage, avez-vous senti une transformation s'opérer en vous pendant celui-ci? Avez-vous subi une transformation en ce qui a trait au sens de la vie, à vos valeurs et à vos buts?

- Souhaitez-vous renoncer à d'anciens buts et valeurs qui vous paraissent maintenant superficiels et dépourvus de sens?

- Depuis cette transformation, avez-vous le sentiment que vous n'êtes plus dans le coup, que vous êtes différente de vos amies, et par conséquent un peu perdue encore une fois?

Pour progresser dans cette nouvelle phase de votre vie, vous devrez vous lancer de plus grands défis. Vous devrez peut-être vous éloigner de votre conjoint pendant un certain temps, vous aventurer dans un pays inconnu ou vous lancer dans une nouvelle carrière. Vous avez entrepris un nouveau voyage, votre second voyage. En cours de route, alors que vous ferez preuve de loyauté envers vous-même, vous sentirez naître en vous une force toute nouvelle.

COLLECTIONNEZ LES COMPLIMENTS

Lorsque nous nous apprêtons à entreprendre notre second voyage, nous sommes constamment aux prises avec des choix en ce qui a trait à la direction à prendre, aux intérêts à poursuivre et aux relations à entretenir. Choisir entre nous écouter ou écouter les autres sera certainement l'une des décisions les plus importantes que nous devrons prendre. Il est impossible que nous apprenions à suivre notre instinct si nous ne sommes pas bien dans notre peau, si nous n'apprenons pas à faire taire les voix négatives qui nous importunent sans cesse. Parfois, ces voix sont celles des autres; et parfois, elles viennent de l'intérieur. L'une des façons les plus faciles d'entretenir votre confiance en vous est de collectionner les compliments.

Lorsque mon estime de soi était au plus bas, je suis allée jusqu'à me répéter inlassablement à voix haute toutes mes qualités. C'est le moyen que j'ai utilisé pour nommer tous ces dons que je savais posséder, mais que les autres semblaient rarement remarquer. Les remarquaient-ils seulement? Peut-être que mon mari était avare de compliments, mais est-ce que tous les membres de ma famille l'étaient également? Il m'est bientôt apparu que c'était peut-être mon estime de soi qui était en cause. Peut-être que, dans le doute ou l'embarras, je n'enregistrais tout simplement pas toutes les bonnes choses que les autres disaient de moi.

J'ai décidé de commencer à les écouter lorsqu'ils parlaient de moi, à réellement entendre ce qu'ils disaient et à prendre note au passage de tout compliment qu'ils formulaient à mon égard. À ma grande surprise, j'ai constaté que je faisais l'objet de nombreux bons commentaires, de la part de mon éditeur, de ma bru lors d'une conversation téléphonique, d'amies qui étaient comme moi membres d'un comité de bienfaisance. J'ai commencé à les noter sur des feuillets autocollants et à les apposer sur mon ordinateur. Avec le temps, j'ai appris non seulement à écouter et à entendre ces compliments, mais aussi à y croire.

Il est possible de regagner le respect et l'estime de soi si nous prêtons une oreille plus attentive aux commentaires positifs des gens qui nous entourent, et si nous ignorons les observations négatives, ou cessons de nous y attarder. Les compliments peuvent vous orienter vers les domaines où vous avez du talent et vous indiquer la voie à suivre. Donc, prenez le temps d'écouter ce que les autres ont à dire, croyez dans ces qualités qu'ils voient chez vous, et inspirez-vous-en pour aller de l'avant.

L'APRÈS-RETRAITE

Le retour

Intégrez votre nouveau moi
à votre ancienne vie

« Nous venons au monde pour faire certains dons. Si nous ne les faisons pas, qui le fera ? Nous sommes tellement uniques, individuels, ce serait une immense perte pour l'humanité si nous ne partagions pas ce que nous sommes. »

ANONYME

Le retour

Toute bonne chose a une fin et, hélas, c'est aussi le cas d'une retraite d'un week-end. Mais cela ne veut pas dire que vous devez vous replonger instantanément dans votre ancienne vie et laisser filer cette sérénité et cette nouvelle perception que vous avez trouvées pendant votre séjour. Après tout, le but premier de la retraite est de se restaurer, de se régénérer et de revenir, non pas seulement fraîche et dispose, mais différente. Lorsque vous vous assoyez et faites le point, vous réalisez que tout a réellement changé : votre apparence, votre comportement, vos sentiments, vos pensées. Afin de ne pas laisser échapper cette femme merveilleuse que vous êtes devenue, vous devez demeurer éclairée. Et vous n'y arriverez qu'en prenant votre retour aussi au sérieux que votre départ.

Je n'oublierai jamais Delilah, une adorable New-Yorkaise d'une trentaine d'années. Elle avait une importante carrière dans le domaine bancaire, un mari, deux jeunes enfants et plusieurs assistants. Mais lorsqu'elle a eu désespérément besoin de temps libre, elle a tout laissé derrière elle pour participer à une retraite au cap Cod. Dès qu'elle est entrée dans l'auberge, tout le monde a senti la confiance qui émanait d'elle. Son langage corporel reflétait le contrôle et le pouvoir; ses questions étaient pertinentes; sa détermination à changer et à s'épanouir était palpable.

À mesure que se déroulait le week-end, elle allait allégrement de l'avant, semblant tout absorber sans effort et changer avec chaque nouvelle expérience. Mais voilà que le dimanche après-midi, alors que toutes les autres femmes se prélassaient au soleil et baignaient dans l'euphorie, j'ai constaté que Delilah luttait pour retenir ses larmes. Elle m'a finalement demandé d'une voix penaude : « Comment faire pour rentrer à la maison et retrouver ma vie après ceci ? J'ai si peur. »

C'était la première fois que quelqu'un me posait directement cette question, et j'ai senti qu'il me fallait lui donner une réponse adéquate. Le retour est toujours un moment délicat. C'est beaucoup plus compliqué qu'il n'y paraît de prime abord, et c'est certainement l'un des volets les plus angoissants du week-end. J'ai suggéré à Delilah d'y aller au jour le jour, sans plan préconçu. Elle a eu l'air perplexe et manifestement déçue que je n'aie pas une réponse plus concrète à lui offrir. Elle voulait avoir un plan, et de fait, elle en avait besoin.

« Mais je sais que mon mari me posera mille questions, a-t-elle insisté.

– C'est certain, ai-je répondu, mais pour l'instant, vous n'avez pas de réponses. »

– Quoi ?, a-t-elle dit, et toutes les femmes présentes dans la pièce ont eu l'air aussi étonné qu'elle. Ne venaient-elles pas de passer tout un week-end à s'interroger sur elles-mêmes, à réfléchir sur leur passé et leur avenir, à chercher un sens dans les métaphores de la nature ? Pourquoi ne rentreraient-elles pas à la maison avec un bagage rempli de stratégies ?

« Pour l'instant, ai-je poursuivi, votre esprit foisonne d'émotions et du souvenir des expériences que vous venez de faire, mais vous n'avez pas encore tout assimilé. Vivre un moment d'émerveillement est une chose. Mais le décortiquer et puis parler de vos découvertes en est une autre. Cela m'a pris plusieurs années pour bien comprendre en quoi j'avais changé et trouver le moyen de l'expliquer à ma famille et à mes amis. Il est évident que vous avez changé, mais il vaut mieux que vous attendiez avant d'en parler. Gardez ces expériences pour vous pendant un certain temps. Revivez-les en esprit. Méditez sur leur signification et leur importance.

« Accrochez-vous à vos buts et à vos rêves. Si vous inondez de vos nouvelles pensées les gens qui vous attendent à la maison, vous risquez de perdre une partie de ce nouveau pouvoir que vous venez de découvrir. Votre entourage n'a pas fait le même cheminement, ou n'a peut-être pas envie de se poser les vraies questions, et il est fort probable qu'il se sentira trahi par vos propos et tentera de s'opposer à vos nouvelles valeurs. Pour le moment, il vaut mieux lui offrir une réponse simple, telle que : "Cela a été une expérience étonnante, mais il faut que j'y réfléchisse encore. J'en parlerai lorsque je serai prête."

Ralentissez, n'allez pas trop vite

Je compare ce retour à la période pendant laquelle les astronautes perdent tout contact avec la Terre pendant leur rentrée dans l'atmosphère terrestre après un séjour dans l'espace. Aucune communication n'est alors possible entre le Centre de contrôle des missions et le véhicule spatial – il se produit une pause – un moment où le silence enveloppe tous les intervenants, jusqu'à ce que la navette atterrisse enfin.

Une pause similaire peut aider la femme qui a participé à une retraite à faire durer les sentiments qu'elle a éprouvés et à mieux assimiler ses nouvelles perceptions. Mon mari a toujours pensé qu'il était important pour lui de faire une pause lorsqu'il rentrait du travail. S'il pouvait entrer dans la maison, se rendre dans la chambre à coucher, changer de vêtements et prendre le temps de respirer, il savait qu'il serait en mesure de contribuer à la vie familiale pendant le reste de la soirée. Il faut que nous fassions preuve du même respect envers nous-mêmes avant, pendant et après notre retour à la maison si nous voulons poursuivre le voyage exaltant que nous avons entrepris.

J'ai une amie, Lynne, qui a pris la décision de prendre soin d'un voisin qui se mourrait du SIDA. Sa famille l'avait abandonné, et Lynne l'a non seulement soigné, mais a aussi organisé ses funérailles, tout en continuant à s'occuper de ses deux jeunes enfants. Lorsqu'elle est rentrée chez elle après l'enterrement, épuisée et accablée par le chagrin, son mari l'a apostrophée : « Donc, tu es finalement de retour ?, lui a-t-il dit. Tu es prête à reprendre ton rôle d'épouse et de mère ? » Lynne s'est effondrée. Elle était physiquement incapable de réintégrer les rôles qu'elle avait temporairement mis de côté sans prendre le temps d'apaiser sa douleur, de rassembler ses forces, et alors, seulement alors, de se préparer à rejoindre sa famille. Bien entendu, Lynne avait désespérément besoin d'une bonne sieste, mais aussi de pleurer la perte qu'elle venait de subir, de faire une pause calculée, comme n'importe quelle femme qui s'apprête à effectuer un retour.

Les femmes qui ont participé à mes retraites font preuve d'une grande créativité à cet égard. Un grand nombre d'entre elles retournent à la maison, mais non au travail – s'accordant quelques jours de solitude chez elles pour s'acclimater. Deux amies qui vivaient en périphérie de Boston ont délibérément choisi de rentrer à la maison en empruntant le plus long trajet. Elles ont roulé à bicyclette le long du canal du cap Cod et puis se sont arrêtées dans l'un de leurs restaurants préférés pour un souper gastronomique.

Lorsqu'elles ont finalement emprunté l'allée les menant chez elles, leur famille était déjà au lit et elles ont pu réapprivoiser leur intérieur dans le silence et l'obscurité. D'autres participantes ont décidé sur un coup de tête de passer la nuit dans un motel afin de s'accorder une nuit de liberté supplémentaire ; et beaucoup d'autres prolongent leur séjour dans une petite auberge jusqu'à ce qu'elles se sentent prêtes à rentrer à la maison.

Une jeune participante a utilisé sa pause de retour, un long vol à destination de l'Idaho, pour lire et relire la lettre qu'elle s'était écrite à elle-même et qu'elle avait consignée dans son journal intime :

Chère Elaine,

Ma chérie, tu as tout ton temps. Tu le sais, n'est-ce pas? On ne peut pas assimiler instantanément ces sept dons que sont l'espoir, un but dans la vie, la confiance, la fidélité, l'amour, la sollicitude et la sagesse. Ils deviennent nôtres lorsque nous sommes prêtes, mais je te donnerai des outils plus spécifiques, car je te connais mieux que tu ne te connais toi-même.

N'essaie pas d'expliquer quoi que ce soit, de tenter de te justifier, de convaincre ou de manipuler les autres! S'affirmer n'est pas une question de cupidité ou d'égoïsme. Tu es capable de te glorifier, de t'affirmer, de te reconnaître et de t'approuver! Je le sais parce que je te connais!

Sache que tout ira bien. Ah!, dis-tu. C'est trop simple? Non. Respire. Tu as 36 ans. Tu as encore approximativement 528 mois à vivre. Tu es heureuse maintenant? Les choses ne feront que s'améliorer. Je le sais parce que je connais ton avenir. Oh! oui, je le connais. Ta tâche consiste à élever tes deux enfants de manière à ce qu'ils deviennent indépendants. Les choses iront de mieux en mieux. Tu as les outils nécessaires. Tu sais ce que tu as à faire, mais respire.

Accepte cette responsabilité. Quelle est la pire chose qui puisse arriver? Le rejet? La désapprobation? L'abandon? Tu as déjà traité de ces questions banales! Tu es tellement plus forte que tu ne le crois, Elaine! Lorsque tu te sens heureuse, satisfaite et paisible, tu n'as personne d'autre que toi à blâmer (ou à féliciter). La vie du coquillage t'appartient. Fais ce qui te procure du bien-être (dans la limite du raisonnable) et accepte tes responsabilités! L'approbation et la confirmation de sources extérieures

*N'ONT PLUS LEUR PLACE. Cesse de dépendre de cet
écho. Tu veux recouvrer TON pouvoir? Mais c'est déjà
fait, ma chère amie!*

*Paaaaaas de CULBABILITÉ! Tu ne t'en sers que pour
t'excuser de ne pas faire ce que tu crois que les autres
veulent que tu fasses. Ne te sens pas coupable! Pourquoi le
ferais-tu? Tu connais tes limites? Commence maintenant
à vivre. L'horloge fait tic-tac. Amuse-toi bien!*

Je t'aime

Elaine

Le processus de son retour à la maison s'est fait pratiquement
sans histoires. En demeurant plongée dans ses pensées, Elaine a été
capable de renforcer ses nouvelles perspectives et attitudes, et à
trouver un terrain vraiment solide avant que quiconque puisse venir
mettre son nouvel équilibre en péril. « Je suis rentrée chez moi
remplie d'une paix intérieure secrète, d'un nouveau sentiment de
calme qui m'appartenait. Je me sentais plus près de moi-même, et
plus forte aussi, moins dépendante, autosuffisante, en fait. Je savais
que je pourrais gérer des questions aussi importantes que mes
finances ou mon assurance santé s'il le fallait, parce que pendant le
week-end, j'avais appris à reconnaître tous mes points forts. »

Le pouvoir des secrets

Elaine a instinctivement suivi le conseil de l'écrivaine Louise
Driscoll: « Tout au fond de votre cœur, gardez un lieu secret pour y
placer vos rêves. » Elle a utilisé sa pause pour installer dans son cœur
ces sentiments de force et de pouvoir qui l'habitaient maintenant, là
où ils seraient à l'abri des défis de sa vie quotidienne et des exigences
de sa jeune famille.

Joan Erikson m'a enseigné le pouvoir des secrets – c'est-à-dire
à ne divulguer aucune information ou nouvelle pensée tant qu'elle
ne fait pas partie de nous. « Les secrets sont votre pouvoir, ma chère,
avait-elle l'habitude de dire. Ils vous donnent l'occasion d'expéri-

menter dans l'intimité de votre espace intérieur. J'ai toujours aimé avoir des secrets. Avoir des secrets permet de développer une forte personnalité. Ils transforment en quelque sorte la frustration en pouvoir. J'adore faire des choses et n'en parler que plus tard, si même j'en parle. Je suppose que j'ai pris cette habitude parce qu'on désapprouvait la plupart des choses que je faisais lorsque j'étais petite. Je pouvais ainsi vivre des aventures et ma propre vie, en secret. Et tous ces secrets, empilés les uns sur les autres, sont devenus mon individualité.»

Joan m'a vivement conseillé d'explorer les mondes qui m'intéressent, en ne me fixant qu'une règle ou un but unique, être de retour à la maison à temps pour souper. «La majorité des gens qui vous entourent sont tellement égocentriques qu'ils se soucient à peine de ce que vous faites – c'est-à-dire tant que votre nouvelle vie ne menace pas de bouleverser tous leurs projets. Ne parlez à personne de votre cheminement, car tout le monde s'efforcera de modifier ou de limiter votre nouveau comportement.

Comme dans toutes choses, lorsque nous entreprenons de changer des habitudes ou des comportements, il vaut mieux commencer à petite échelle et en privé. Il est inutile d'annoncer vos intentions ; vous pourriez ainsi effrayer ceux qui, dans votre entourage, ne sont pas prêts à reconsidérer les limites de leur monde. Commencez plutôt par apporter ces changements une étape à la fois. Un infime changement de comportement peut mener loin dans l'atteinte de l'équilibre. Il est à espérer que, pendant la retraite, vous avez déterminé ce dont vous avez besoin pour rendre vos journées agréables (et n'oubliez pas que le but, c'est le plaisir, nous en avons assez d'essayer d'être parfaites). Exercez-vous à intégrer le plaisir à vos journées et il est certain que d'importants changements en découleront.

Chaque jour, je m'assure d'avoir fait un geste significatif, fait de l'exercice, pris le temps de méditer et de jongler avec de nouvelles idées. En veillant à ce que de tels plaisirs fassent partie de mon quotidien, je deviens mon entraîneuse personnelle, je retiens les services de ma propre conscience pour ne pas dévier de la voie de l'action et de l'engagement. C'est la formule que j'utilise pour entretenir une forme optimale. Une étape mène à une autre, et avant même que l'on s'en rende compte, les moments banals du passé deviennent les jours exquis du présent.

Demeurez éclairée

Plus vous vous mettrez au défi, moins vous craindrez le regard et le jugement des autres. Les membres de votre famille et vos amis vous épauleront ou vous délaisseront. Mais alors que vous continuerez à cheminer sur le sentier le moins fréquenté, votre entourage finira par reconnaître votre engagement envers le changement. Vous êtes en mouvement et rien ne peut vous arrêter.

Le fait de rompre avec de vieilles routines vous paraîtra bientôt normal, et non plus extrémiste. Avec chaque nouveau geste que vous effectuerez consciemment, vous serez un peu plus inspirée. « Lorsqu'une femme sent qu'il y a une dimension mythique à ce qu'elle entreprend, dit Jean Shinoda Bolen, cette perception touche et inspire un noyau créatif profondément enfoui en elle. » Et soudain, elle prend son essor.

C'est certainement ce qui est arrivé à Denise, cette femme qui a concrétisé son rêve et qui est allée travailler en Afrique. Dès qu'elle est arrivée à l'aéroport et qu'elle est montée à bord de l'avion, elle a ressenti une paix absolue. « J'étais si calme, certaine, comme jamais auparavant, de ce que je faisais. Et une fois en Afrique, où j'ai travaillé auprès d'enfants et observé la force des femmes – elles sont endurcies et assurent leur subsistance à partir de peu ou de rien, ma détermination à demeurer sur ma nouvelle trajectoire et à poursuivre mon voyage n'est devenue que plus grande. »

Et c'est avec une franchise fougueuse que Denise continue maintenant à chercher toujours plus d'aventures et à utiliser ses talents en tant que travailleuse sociale dans d'autres lieux où les besoins se font grandement sentir. Elle ne voit plus tous ces obstacles qu'elle s'inquiétait de devoir franchir. Rien ne peut la décourager. Elle adore le fait d'avoir effectivement obtenu le droit de vivre une vie bien remplie. Et pourquoi pas? Le philosophe irlandais John O'Donohue en parle dans son ouvrage traitant de la sagesse celte:

> *« Dans toute vie, peu importe qu'elle semble ennuyeuse ou infructueuse, quelque chose d'éternel se produit. Si l'on est fidèle au risque et à l'ambivalence de la croissance, on engage sa vie. L'âme adore le risque; ce n'est que par le portail du risque que peut entrer la croissance. La possibilité et le changement deviennent croissance à l'intérieur du temps que nous appelons une journée. Les jours sont là où nous vivons. Leur rythme façonne notre vie. Chaque nouvelle journée offre des possibilités entièrement nouvelles. Pour embrasser avec honneur votre vie tout entière, il faut savoir saisir les possibilités qu'apporte chaque nouvelle journée. »*

Vous comprenez maintenant. Pour demeurer éclairée, vous devez accepter vos vertus intrinsèques. Décidez de la façon de modeler vos journées de manière à pouvoir les orienter et les contrôler. Comme je l'ai dit plus tôt, il me faut de l'action, de l'exercice et du temps pour méditer si je veux demeurer la personne consciente que j'ai choisi d'être maintenant. De quoi avez-vous besoin pour nourrir votre vie nouvelle, bien réglée et orientée? Il suffit peut-être de seulement quelques moments significatifs. Une amie âgée de 85 ans m'a dit récemment: «Oh, j'ai vécu de bons moments, mais si c'était à refaire, j'en vivrais davantage. Et j'essaie maintenant de ne connaître rien d'autre, uniquement des moments présents, l'un après l'autre, au lieu de vivre en fonction de l'avenir.»

Les Salty Sisters

Jusqu'à ce retour, votre cheminement a été surtout intérieur et effectué dans la solitude, mais pour poursuivre votre voyage, vous devrez trouver des gens qui accueilleront favorablement votre désir de changer et qui appuieront vos nouveaux idéaux. Aucune d'entre nous ne peut le faire seule; il faut vraiment faire partie d'une communauté pour garder le cap, et je conseille à toutes les femmes qui participent à mes retraites de former un cercle de femmes lorsqu'elles auront retrouvé leur rythme. L'analyste jungienne Jean Shinoda Bolen donne le même conseil dans son ouvrage intitulé *The Millionth Circle* lorsqu'elle affirme que le seul moyen de se changer soi-même (et subséquemment le monde) est de former un cercle.

Un grand nombre des femmes qui ont participé à mes retraites ont découvert qu'elles pouvaient entretenir l'euphorie ressentie pendant leur week-end au bord de la mer en demeurant en contact les unes avec les autres. Récemment, j'ai rendu visite à un groupe particulièrement bien organisé qui s'appelle The Salty Sisters (Les sœurs salines). Ces femmes se sont instinctivement tournées l'une vers l'autre à la fin de leur retraite d'un week-end. Leur histoire est inspirante.

> « *Il y a exactement deux ans, j'ai participé à une retraite au bord de la mer. Je décris souvent ce week-end comme l'événement le plus important de mes 49 années d'existence, parce que c'est à ce moment-là que je me suis donné la vie. Vingt-deux étrangères venues des quatre coins du pays ont assisté à cette naissance. Neuf d'entre elles sont devenues mes meilleures amies, mes sœurs salines.*
>
> « *À la fin du week-end, nous savions qu'il ne fallait pas nous perdre de vue, et nous nous sommes donc engagées à voyager en avion ou en voiture pour nous rendre visite quatre fois par année afin de poursuivre le cheminement personnel que nous avions entrepris au cap Cod et de cultiver notre nature sauvage et notre féminité saline. Ces rencontres m'ont permis d'aller de l'avant sans dévier de la trajectoire que je m'étais tracée pour améliorer ma vie.*
>
> « *Nous avons commencé ensemble à nous défaire de la douleur et du chagrin, et nous demeurons ensemble pour partager nos espoirs, nos interrogations et nos rêves. Ensemble, nous explorons les liens qui nous unissent à notre famille et à nos amis, le rôle que nous jouons dans notre*

propre vie et les rouages de notre personnalité. Nous décortiquons de grandes questions telles que : "Quelle est la différence entre être amoureuse et aimer quelqu'un ?" ou : "Comment puis-je choyer mes enfants devenus adultes ?"

« Nous nous penchons sur nos douleurs, nos craintes et nos rêves, nous nous applaudissons et nous encourageons, nous pleurons l'une pour l'autre, et nous explorons et cherchons des intentions et des buts. Et ainsi, nous nous prouvons l'une à l'autre le bien-fondé de notre cheminement et de notre moi individuel en tant que femmes. Notre engagement mutuel est profond, car c'est aussi un engagement que nous avons pris envers nous-mêmes.

« Quatre fois par année, parfois plus, nous nous rassemblons dans une ville différente ou dans un lieu de villégiature. Nous louons une maison plutôt que de nous installer chez l'une ou l'autre, car aucune ne souhaite jouer à l'hôtesse. Nous passons la majeure partie de notre temps à parler, à partager nos expériences riches et variées et à nous mettre au courant des événements qui ont marqué notre vie. Il y en a toujours une pour offrir ses conseils ou donner son avis, que ce soit sur le plan émotionnel, spirituel, médical ou juridique. Nous mangeons, nous faisons du vélo et nous lisons. Nous ne nous imposons pas d'horaire et nous nous amusons.

« Entre ces rencontres, nous échangeons constamment des courriels. Chaque matin, lorsque je mets mon ordinateur en marche, je constate qu'une de mes sœurs salines m'a écrit pour me souhaiter une bonne journée. Lorsqu'une crise éclate dans la vie de l'une ou l'autre d'entre nous, nous unissons nos voix pour lui offrir sympathie, conseils et prières. Même si une grande distance nous sépare, j'ai le sentiment de faire partie d'une communauté très unie, marquée du sceau de l'entraide.

« Je me suis rendu compte que ce sont les seules personnes au monde avec lesquelles je peux me trouver sans ressentir le besoin de m'isoler. C'est parce que nous avons partagé et honoré ensemble toutes ces parties secrètes de nous-mêmes. Notre lien est réciproque, nous donnons et nous recevons, notre relation est caractérisée par l'honnêteté et l'amour. Nous nous retirons et nous restaurons, nous nous régéné-rons et nous libérons, et lorsque nous rentrons chez nous, nous sommes accompagnées du soutien de toutes.

« Cette solidarité féminine est un outil qui m'aide à demeurer sur la voie qui mène à l'autonomie, la croissance et l'amour de soi. C'est un outil qui m'aide à garder mon équilibre, ma concentration et l'esprit clair. Le lien qui unit les Salty Sisters va au-delà de la camaraderie. En tant que sœurs, nous nous encourageons l'une l'autre à nous commanditer individuel-lement. Et pour tout cela, j'éprouve bien plus que de la gratitude. »

Les Salty Sisters se sont expressément regroupées dans le but de se donner des outils. Inconsciemment, elles savaient qu'elles auraient besoin d'un soutien auxiliaire lorsqu'elles reprendraient le cours de leur vie normale, qu'elles auraient besoin d'aide pour nourrir les intentions et les désirs qu'elles venaient de mettre au jour. Le sentiment de sécurité et la confiance qu'elles s'inspirent mutuelle-ment ne faisaient pas partie de leurs anciennes amitiés, dans lesquelles de vieilles habitudes, des façons de parler et de réagir figées dans le temps étouffaient leur désir de changement. Mais entre elles, rien n'est tabou. Comme l'une de ces femmes me l'a expliqué récemment : « Peu importe la réticence que nous pouvons avoir à confier un secret, à demander un conseil d'ordre sexuel, à parler de problèmes de santé ou conjugaux, il n'y a pas de limite. Quand nous sommes ensemble, nous sommes entièrement nous-mêmes. »

Tracez votre propre ligne de vie

Afin de ne pas perdre de vue vos buts toujours plus nombreux, et de résister à la tentation de réintégrer votre ancienne vie, vous aussi aurez besoin de vous entourer du soutien d'autres femmes. L'objectif de toute femme qui a entrepris de reprendre possession de sa vie est d'apprendre à vivre de façon plus créative, et c'est là qu'un réseau de soutien peut l'aider à trouver l'assurance nécessaire pour accepter de nouveaux défis, oser se lancer dans de nouvelles aventures et continuer à redéfinir le profil et la qualité de son existence.

Les Grecs anciens croyaient que grâce à un dialogue constant et à une relation empreinte d'honnêteté, les amis pouvaient parvenir ensemble à un palier de vérité plus élevé. Les femmes en particulier se réunissent depuis des temps immémoriaux afin d'échanger, dans un murmure, confidences et consolations. Les clubs de courtepointe de jadis, par exemple, visaient tout autant à rapiécer des vies qu'à assembler des pièces de tissus.

Pendant qu'elles cousaient, ces couturières parlaient, partageaient leurs peines, leurs joies et leur sagesse, s'aidant l'une l'autre à assembler les morceaux épars et à renforcer les coutures. Même aujourd'hui, dans le cours de leur vie mouvementée, les femmes sentent encore le besoin de se rapprocher et d'échanger. Nous ne le faisons pourtant qu'à la sauvette, lors des rencontres de notre association parents-élèves, dans les toilettes des femmes, pendant des séances de marche rapide, ou encore avant ou après les réunions de notre club de lecture.

Lorsqu'elles ont constitué leur groupe, les Salty Sisters se connaissaient déjà, car elles avaient participé à une retraite pendant laquelle elles avaient partagé leurs sentiments et leurs expériences. La majorité d'entre vous devrez créer votre propre cercle d'amies. Ceci ne devrait pas vous paraître une tâche insurmontable. Les femmes qui se ressemblent sont attirées l'une vers l'autre comme des aimants. Il suffit que vous entrepreniez de concrétiser un rêve ou vous lanciez dans un projet à long terme, et vous trouverez soudain des âmes sœurs tout autour de vous. Phoebe, l'une des Salty Sisters, l'explique ainsi :

« *Il faut tout simplement que vous reconnaissiez votre douleur. C'est pratiquement un acte de foi aveugle que de réaliser que vous n'êtes pas seule avec elle. Vous devez prendre le risque de l'étaler au grand jour pour attirer vers vous des femmes qui pensent comme vous. Par exemple, pendant tout l'été qui a précédé le départ de mon fils aîné pour le collège, j'ai ressenti une grande douleur. C'était un sentiment de vide immense. Je n'ai rien vu d'autre à faire que d'envoyer un feuillet à des femmes qui devaient éprouver la même chose que moi. J'ai consulté l'annuaire de l'école secondaire et j'ai expédié 50 feuillets.*

« *Trente-quatre femmes sont venues chez moi, de parfaites étrangères, et nous avons ri, pleuré et sympathisé en parlant de ce que signifierait ce changement dans notre foyer et notre vie. Nous avons donné un nom à notre groupe – le MT Club, MT signifiant "Mon Temps". Au sein de ce groupe, nous avons réalisé que le vide que nous ressentions devait être transformé en tremplin. Aujourd'hui, environ 2 ans plus tard, notre groupe compte encore 20 membres. Nous nous réunissons le troisième mardi de chaque mois, uniquement pour nous réjouir d'être ce que nous sommes.*

Il est également utile que le groupe se donne une vocation précise. Il y a 15 ans, j'ai formé un cercle diversifié afin d'étudier l'ouvrage intitulé *Femmes qui courent avec les loups*. Pendant toute une année, nous avons lu le livre et parlé de notre âme, de notre corps, de nos capacités intellectuelles et émotionnelles, et de nos relations. Nous avons pleuré, aimé, crié et écouté. Nous avons continué à nous réunir après cette lecture.

Tout comme cela a été le cas pour les Salty Sisters, ou le Club MT, ces femmes m'ont aidée à naviguer dans les méandres de ma vie. Elles appuient mes décisions et mes sentiments sans porter de jugements. Plus important encore, elles me stimulent à défier les rôles imposés et tous les « je devrais » que dicte la société. Ensemble, nous avons changé notre vie et notre famille. Margaret Mead a dit : « Ne doutez jamais qu'un petit groupe de gens réfléchis et engagés puisse changer le monde. C'est d'ailleurs toujours comme cela que ça s'est passé ! »

Les étapes de votre ligne de vie

1. Déterminez une douleur particulière ;
2. Comprenez que vous n'êtes pas seule ;
3. Sortez la tête du sable et exprimez vos sentiments ;
4. Déterminez le type de groupe que vous souhaitez former ;
5. Engagez-vous à vous réunir régulièrement.

Soyez procréative

Outre la pause nécessaire, l'habileté à garder un secret et le soutien continu d'âmes sœurs, une rentrée réussie exige que vous trouviez le moyen d'être procréative. Vous vous rappelez sans doute que, après l'année que j'ai passée seule au bord de la mer, des amies m'ont rendu visite et ont voulu connaître les étapes que j'avais suivies. Avec les encouragements de Joan Erikson, j'ai couché mon expérience sur papier. Chaque livre que j'ai écrit m'a aidée à demeurer connectée à ce que j'avais appris sur la façon de me commanditer et d'écouter ma voix intérieure. C'est ainsi que j'ai trouvé le moyen d'être procréative, de partager ma sagesse avec autrui, et d'encourager un nombre sans cesse croissant de femmes à apprécier tout ce qui est inachevé dans leur vie.

« Chacun transmet son savoir à l'autre », a dit Albert Schweitzer, qui a introduit la médecine moderne dans la brousse africaine, et Joan Erikson aurait certainement été d'accord avec son mantra. « La réciprocité est extrêmement importante, ne cessait-elle de répéter. Il n'y a pas de croissance et de changement sans engagement ni interaction. La solitude est toujours le lieu où tout trouve sa place et prend un sens pour nous. Mais c'est dans le quotidien et le partage de notre savoir que de nouvelles actions et attitudes développent des racines solides. »

Il y a de nombreuses façons de faire preuve de procréativité. Après avoir participé à une retraite, certaines femmes créent un club de lecture avec leurs amies et, ensemble, elles lisent des ouvrages qui les encouragent à discuter de croissance continue. D'autres sont revenues au cap Cod en compagnie de leurs filles ou de leurs nièces. J'ai également trouvé un moyen d'être procréative en dehors de l'écriture lorsque j'ai grossi les rangs d'un organisme de bienfaisance qui apporte du soutien aux femmes en crise au moyen d'une aide financière et de conseils. Comme l'a dit Toni Morrison : « Si vous avez un peu de pouvoir, votre tâche consiste à outiller quelqu'un d'autre. »

Joan était étonnante à cet égard. Elle ne donnait jamais directement un conseil. Il irradiait tout simplement une énergie qui était contagieuse. Je ne pouvais rester passive en sa présence – je voulais être aussi active et engagée qu'elle. Jusqu'à son dernier jour, elle n'a cessé de faire preuve d'engagement, de curiosité, de créativité et de soutien envers tout ce en quoi elle croyait. De plus, elle le faisait avec enjouement et dignité. Elle était fière d'être une « adulte qui rajeunit » et s'entourait presque toujours de gens de 30 à 40 ans plus jeunes qu'elle, parce qu'ils lui permettaient de voir la vie sous un autre angle. Ils étaient pour elle une source intarissable de nouveaux sujets de réflexion.

Il n'est pas nécessaire que vous épousiez une cause précise ; engagez-vous tout simplement à demeurer investie et enthousiaste. C'est au cours de vos diverses aventures que vous atteindrez soudain un palier où vous vous sentirez courageuse et non plus désespérée. Les autres verront ce courage. Lorsque vous vous y attendrez le moins, votre énergie et votre courage enthousiasmeront quelqu'un d'autre et vous deviendrez une inspiration pour cette personne. La quête d'une vie authentique est remplie d'efforts, mais aussi de récompenses, mais elle ne vaut rien si vous ne transmettez pas votre savoir.

« Tant que la vie est possible, accrochez-vous-y, récoltez-en les bienfaits et gardez la main à la charrue ! » Telle était la devise de Joan et je vous la laisse maintenant en héritage. Lorsque vous entendrez l'appel, répondez-y. Lorsque la porte s'ouvrira, même si ne vous y attendiez pas, franchissez-en le seuil. Vous ne deviendrez l'héroïne de votre propre histoire que si vous acceptez de prendre des risques, de poursuivre votre voyage, de croire que vous pouvez être audacieuse. Ce livre ne vous donnera pas toutes les réponses, mais il a été écrit avec la conviction que vous êtes à la hauteur de la tâche. Sachez que tout au long de ce voyage, vous recevrez une myriade de manifestations d'espoir, de courage et de confiance.

Récemment, lors d'un grand marathon, j'ai vu une femme de 68 ans franchir la ligne d'arrivée. Lorsque je lui ai demandé pourquoi elle participait à une course de 160 km, elle a répondu : « Parce que je suis une femme, et qu'une femme est résistante. Mon message est qu'il n'y a pas de limite à l'endurance de la femme. » Nous participons toutes à une épreuve d'endurance : la course de la vie. Mais j'aime également penser que nous participons également à une course de relais. Nous transportons toutes une torche unique dans l'espoir de la glisser un jour dans la main qui se trouve devant nous, de la passer à une femme pleine d'assurance qui sera prête à courir sa portion de la course. Votre verre n'est plus à moitié vide, mais à moitié plein. La question devient donc : « Comment allez-vous continuer à le remplir, à compléter le cycle de votre vie ? »

Une fois que l'on s'est trouvée, il n'y a pas de retour en arrière. Des retraites périodiques, des épisodes de récupération, de restauration, de régénération et de retour continueront à vous aider à demeurer sur votre trajectoire. De plus, vous ne serez plus jamais la même parce que :

Vous aurez goûté à votre nouveau moi ;

Vous aurez réalisé à quel point vous êtes seule lorsque vous n'êtes pas entière ;

Vous serez heureuse d'être votre propre héroïne ;

Vous aurez pris le temps qu'il faut pour gérer les transitions de votre vie, pour apprivoiser votre chagrin et lâcher prise ;

Vous aurez transcendé vos rôles et trouvé votre moi authentique ;

Vous serez tombée amoureuse d'un style de vie inconditionnel.

Comme mon professeur de yoga le dit à la fin de chaque cours :

« *Namasté. J'honore en toi le divin que j'honore en moi et je sais que nous ne faisons qu'une.* »

RÉSUMÉ DE FIN DE CHAPITRE

- ➤ Faites une pause ;
- ➤ Gardez secrètes certaines de vos intentions ;
- ➤ Créez un cercle d'âmes sœurs ;
- ➤ Soyez procréative ;
- ➤ Passez la torche à une autre.

Reliez les points

« Rien n'a plus de valeur qu'aujourd'hui. »

GŒTHE

Beaucoup de femmes m'ont qualifiée de courageuse et, pendant très longtemps, j'ai eu énormément de difficulté à accepter ce compliment. Elles disaient que j'avais été courageuse de prendre position, courageuse de m'enfuir, courageuse d'avoir vécu seule, courageuse d'avoir décortiqué le désordre de ma vie et courageuse d'avoir écrit à ce sujet. Mais à mes yeux, une personne courageuse est quelqu'un qui lutte contre une maladie incurable, qui tient tête à un mari volage, ou qui reconstruit sa vie après une catastrophe naturelle. Je n'ai rien fait qui puisse se comparer à tout cela. Et c'est pourquoi je m'empressais toujours de jouer la carte de la modestie lorsque quelqu'un parlait de mon courage.

Et puis, un jour, j'ai finalement dit : « Vous avez raison. Je suppose qu'on peut dire qu'il y a une certaine dose de courage dans ce que j'ai fait pour bouleverser ainsi ma vie et ne pas céder après des paroles impulsives, même si je n'avais aucune idée de ce qui résulterait de cette séparation. » À cette époque, je me sentais certainement plus désespérée que courageuse. J'ai été téméraire parce que je ne permettais plus à mes journées de tout simplement passer.

J'avais besoin d'une nouvelle approche. Et même si de nombreuses personnes ont eu l'impression que je ne faisais que fuir, j'avais le sentiment d'être enceinte de possibilités et j'étais habitée par le besoin de donner naissance à tout le potentiel qui dormait en moi. Un instant cédé à l'impulsion, un instant consacré à l'écoute d'un murmure intérieur, un instant, ai-je appris, peut effectivement changer une vie.

Peut-être ai-je eu de la chance parce que des circonstances m'ont incitée à prendre cette décision. Lorsque mon mari m'a parlé de ses projets, j'ai aussitôt su ce dont j'avais besoin. Suivre le leader ne me convenait plus du tout. Je voulais retrouver mon autonomie, mon originalité, mon moi authentique. En un instant, j'ai su que c'était à mon tour de m'engager dans ma propre vie, de trouver mon individualité, même si je l'avais déjà fait en quittant la maison de mes parents et lorsque mes enfants avaient quitté la mienne.

En fait, elle est plutôt cocasse la façon dont nous nous opposons au changement et nous accrochons à nos croyances et à de vieilles habitudes plutôt que de plonger dans l'incertitude qu'offrent les défis et les aventures qui tapissent l'avenir. Passer à l'action est rarement facile pour quiconque. Cependant, comme l'a dit M. Scott Peck : « C'est au cours du processus qui consiste à reconnaître et à résoudre les problèmes que la vie a un sens. La vie est difficile, mais ce n'est qu'en relevant des défis que nous arrivons à en trouver la signification. » J'ai commencé à changer ma vie à l'instant où je me suis dressée au milieu du problème et qu'impulsivement, courageusement, j'ai osé choisir de réagir autrement. Et la vérité, c'est que n'importe quelle femme peut être aussi courageuse.

Donc, neuf ans plus tard, en quoi ai-je changé ? Tout d'abord, je sais maintenant que ma place est au milieu de tout dilemme. La solution à mes problèmes n'est pas de les éviter, ou d'y réagir de façon stéréotypée. Il faut que je fasse preuve de suffisamment de confiance, d'estime de soi et de courage si je veux relever chaque défi qui se présente et trouver une solution originale. Il faut que je fasse confiance au moment présent pour me guider, et ce, en étant à l'écoute de mes sentiments et de mes désirs, quels qu'ils soient. Il faut que je poursuive mes rêves de manière à encourager les autres à poursuivre les leurs. Pas uniquement de petits buts, mais n'importe quel but. Mais je suis déterminée, je suis une femme, je suis invincible, comme le dit la chanson.

Ma nouvelle attitude est le reflet de cette citation de Goethe qui est inscrite sur la tasse dans laquelle je bois mon café chaque matin : « Rien n'a plus de valeur qu'aujourd'hui. » Ma vie a changé lorsque j'ai appris à me concentrer sur de petits moments. C'est pendant les petits moments, et non les grands, que j'ai le plus appris. Les petits moments renferment toute la sagesse, toute la vérité et tout le plaisir dont j'ai besoin pour continuer à m'épanouir. Et lorsque je donne toute mon attention à ces petits et simples moments, j'arrive à filtrer toutes les distractions parasites créées par les voix qui tentent de me faire faire ceci ou cela. Collectionnez les petits moments.

L'été dernier, ce sont les enfants de mon aîné qui m'ont fait réaliser l'importance des mots de Goethe en faisant des culbutes sur notre lit chaque matin à l'aube   les pieds encore humides de la rosée qui perlait sur la pelouse séparant nos chalets. Cet été en particulier a été l'un de ces rares étés parfaits : juste le bon nombre de membres de la famille et d'invités, des journées douces, des nuits fraîches, des moments privilégiés avec des amies, et des petits-enfants encore jeunes, mais capables de prendre part à pratiquement n'importe quelle activité. Mes journées commençaient généralement avec trois de mes cinq petits-fils qui venaient se blottir sous notre couette en réclamant une histoire, lue ou racontée. Robin et moi apprécions particulièrement les conversations et les questions qui suivaient inévitablement.

Après avoir lu à Carson son histoire favorite à propos de Jackie Robinson qui révolutionne le base-ball, répondu aux questions de Logan qui se demandait pourquoi une famille de renards vit dans notre cour arrière et à quelle distance se trouvent les coyotes que l'on entend hurler la nuit, et chatouillé Tully au creux de chaque coude et chaque genou, nous regardions par la fenêtre pour voir le temps qu'il faisait et décider des activités de la journée.

S'il y avait des nuages, nous allions pêcher, jouer au golf minia-ture ou faire de la bicyclette. Si le soleil était de la partie, nous allions à la plage, quoique cette option soulevait toujours une discussion pendant le petit-déjeuner, devions-nous préparer le chariot et mar-cher jusqu'à la plage qui se trouvait au bout de la rue, ou faire un tour de bateau jusqu'à South Beach et apporter un pique-nique? Si le temps était venteux, nous faisions parfois voler un cerf-volant, et s'il pleuvait, nous faisions un puzzle ou préparions une tarte aux pommes.

Blottie dans notre lit avec mes petits-fils, je ne pouvais faire autrement qu'accueillir chaque journée avec amour, des rires et l'enthousiasme sauvage que les enfants expriment devant tout ce qui est nouveau. Même maintenant, longtemps après cet été-là, cette soif de vivre pleinement chaque journée est encore contagieuse. Une foule de souvenirs m'empêche d'oublier: la chaussette laissée dans le sèche-linge, la pelle lancée dans le jardin de fleurs, des moitiés de sucettes glacées déposées à la hâte sur la tablette du congélateur, tout contribue à me rappeler de suivre le soleil ou le vent, d'apprécier la pluie tout autant que le ciel bleu, de vivre chaque instant comme s'il n'y avait rien de plus important. « Le veau, le lionceau et la bête grasse iront ensemble, conduits par un petit garçon », peut-on lire dans la Bible; ces petits garçons m'ont poussée à m'emparer de chaque journée et à remplir ma vie de moments profonds et émou-vants, qui sont les plus importants, après tout.

Il est dit qu'on peut vaincre la grisaille non pas en faisant bouger notre corps, mais en changeant notre âme. En effet, l'écrivain romain Apulée a écrit: « Tout le monde devrait savoir qu'on ne peut vivre autrement qu'en cultivant notre âme. » Et pour ce faire, vous devez façonner, et dans le cas présent refaçonner, votre vie afin qu'elle soit caractérisée par l'authenticité et la profondeur. Vous devez avoir des conversations satisfaisantes, entretenir des liens étroits, écouter de la musique émouvante et passer du temps de qualité avec de jeunes enfants. Ces moments attendrissants font monter les larmes aux yeux, nous surprennent, nous coupent le souffle et font courir la chaleur dans nos veines.

Cela me rappelle le mariage de mon cadet. Sa fiancée était actrice, et il était clair qu'elle voulait faire de ce mariage la performance de sa vie. Tous deux avaient mémorisé leurs vœux, répété leur danse et soigneusement choisi leurs vêtements. Mais lorsque le moment est arrivé et que le prêtre lui a fait signe que c'était à son tour, elle s'est tournée vers mon fils, l'a regardé droit dans les yeux et a bafouillé d'une voix tremblante : « Moi, Susannah Kavanaugh », avant de fondre en larmes, y noyant la belle assurance dont elle avait fait preuve pendant les répétitions. Alors qu'elle sanglotait, la valeur sacrée du moment est apparue – la cérémonie du mariage s'est transformée en un événement vrai, avec une passion palpable et un amour évident que tous ont pu voir et partager.

Je me suis sentie doublement heureuse car, seulement quelques jours plus tôt, alors que toute la famille était réunie à la maison dans l'attente du grand jour, j'avais pensé que ce serait peut-être une bonne idée que de faire bénir mes deux fils et ma future belle-fille étant donné que Luke allait se marier et qu'Andy et Shelly s'apprêtaient à entreprendre un long et périlleux voyage à bicyclette. Une petite prière ne pouvait pas faire de mal. Mon église offrait un service de prière le mercredi matin et j'ai demandé aux enfants d'y assister. Ils ont ronchonné et protesté. C'était trop tôt, il faisait trop froid, ils avaient besoin d'un café et du journal avant de se retrouver en société. Finalement, toutefois, j'ai eu le dernier mot – une mère a ses méthodes – et nous nous sommes rendus à l'église dès l'aube.

Alors que nous nous tenions debout en cercle, frissonnant dans la froidure du petit matin à la lumière vacillante des bougies posées sur l'autel, et entourés d'étrangers, je me suis demandée ce que j'avais fait. Et puis j'ai tendu à ma future belle-fille le calice rempli de vin et elle l'a ensuite offert à son fiancé, qui l'a à son tour donné à son frère. Grâce à ce simple rituel, un moment qui s'inscrivait en dehors du flux normal de la vie, nous avons communié l'un avec l'autre et reconnu la nature sacrée de notre vie, de nos choix et des aventures dans lesquelles nous nous apprêtions à nous lancer.

Trois jours plus tard, lorsque Susannah a enveloppé amis et membres de la famille de l'amour que Luke et elle ressentaient l'un pour l'autre, j'ai encore une fois senti le lien sacré et émouvant qui unissait les gens qui m'entouraient. Toute une vie peut être construite autour de tels moments charnières, et je sais maintenant que *rien n'a plus de valeur que de prendre soin de notre âme*, car lorsque nous prenons soin de notre âme au lieu de nous cantonner dans nos rôles, nous arrivons à comprendre que *rien n'a plus de valeur que l'acceptation*, tant de ce qui est que de ce que nous sommes.

Avant de passer une année au bord de la mer, j'avais le sentiment de n'être rien de plus que les rôles que je jouais, et j'étais incapable d'accepter ou d'aimer la femme que j'étais vraiment. Je n'avais pas le bon corps, le bon visage, le bon esprit, ni même la bonne attitude. Pendant que je roulais dans la banlieue, avec une longue liste d'emplettes à faire, tentant de plaire à tous ceux qui faisaient partie de ma vie, passant mon temps à faire plutôt qu'à être, j'essayais de me convaincre que je valais plus que ce que j'en avais le sentiment. « Je suis bonne », criais-je en donnant un coup de poing sur le volant pour souligner mon affirmation. « Je suis vraiment bonne. »

Mais peu importe la force de ma voix, ni mon image ni mon estime de soi ne changeaient. Je n'ai appris à m'accepter, non pas seulement mon apparence, mais aussi mes pensées, ma compassion et mon comportement – que lorsque j'ai commencé à me soucier de la qualité de chacune de mes journées. En continuant à travailler avec les six R dont j'ai parlé dans ce livre – *retraite, restauration, récupération, recomposition, régénération et retour* – je suis en mesure de me tourner vers l'intérieur et de donner à chaque instant l'attention qu'il mérite.

Il y a quelques années, la carrière de coureur de mon fils est devenue quelque chose qu'il me fallait affronter, et non plus craindre. Il fallait que je trouve un moyen de comprendre cette passion qui le poussait à participer à des courses de 160 km à travers le désert et les montagnes. Je voulais être capable d'applaudir ses efforts même si je considérais que son sport était narcissique, créait une dépendance et était malsain.

Un jour d'été, alors que nous n'étions pas particulièrement sur la même longueur d'onde, il m'a lancé ce commentaire : « Si tu veux vraiment savoir qui je suis, maman, alors tu devrais assister à l'une de mes courses. » « *Ah ! ai-je pensé, rien n'a plus de valeur que l'acceptation.* » J'ai donc traversé le pays pour assister à la Western Endurance Race dans le nord de la Californie. J'ai aidé Shelly à acheter ce dont nous aurions besoin et à tout entasser dans la voiture. Lorsque nous sommes arrivés au site, j'ai aidé les enfants à monter les tentes dans lesquelles nous dormirions pendant la course.

Andy était parti un jour plus tôt pour se préparer mentalement, et je ne le l'apercevrais pas avant qu'il n'ait couvert une distance de 40 km. Lorsqu'il est apparu, courant dans la forêt de séquoias, ayant l'air d'avoir parcouru tout au plus un pâté de maisons, il s'est dirigé vers moi. « Maman, tu as réussi, tu es là », a-t-il dit en me tendant la main sans rompre le rythme de sa foulée. Nous avons couru ensemble jusqu'en bas de la colline où se trouvait sa prochaine halte, et c'est à ce moment-là que mes craintes se sont estompées. Il était évident qu'il avait fait une science de ce sport et qu'il savait précisément ce que son corps et son âme avaient besoin d'endurer.

« C'est la difficulté qui rend tout cela si merveilleux », avait-il l'habitude de dire, et le fait d'avoir couru cette petite distance avec lui, d'observer l'événement dans son entier, sans parler de sa seconde place à l'arrivée, n'a fait que confirmer son affirmation. Mais ce que j'ai réellement gagné dans tout ça, c'est l'acceptation. J'ai accepté son désir de s'entraîner et de participer à de tels événements, et j'ai réussi à lui faire confiance, à croire qu'en tant que jeune adulte, il serait prudent et saurait calculer les risques.

Au cours des huit dernières années, j'ai dû mener des combats similaires avec ma propre mère et mon mari. Nous avions beaucoup d'ajustements à faire alors que Robin et moi tentions de planifier la prochaine phase de notre vie et que la santé de maman se détériorait graduellement. Mais pendant tout ce temps, je n'ai cessé de me répéter que *rien n'avait plus de valeur que mes relations* avec mes amis et les membres de ma famille. Ma mère méritait qu'on s'occupe d'elle pour de nombreuses raisons, dont l'une et non la moindre a été formulée par mon fils Luke lorsque je me suis plainte du fait qu'elle devenait de plus en plus dépendante. « Maman, grand-maman a pris soin de toi pendant toute ta vie, et elle mérite donc à son tour qu'on prenne soin d'elle.» Ce commentaire piquant a mis fin à mes doléances, ainsi que le gentil rappel d'une amie qui m'a dit que j'avais la chance d'avoir encore ma mère. «J'aimerais tellement pouvoir téléphoner à la mienne une fois de temps en temps, m'a-t-elle dit. Et voici un sage petit conseil: veille à l'embrasser chaque fois que tu la vois et, pendant que tu y es, essaie de graver son odeur dans ta mémoire.»

Maintenant, lorsque je me trouve auprès de ma mère, je m'assure que je suis bien présente et concentrée – je l'écoute, je l'observe et je lui pose des questions. Hier encore, elle a souligné un aspect rebelle de ma personnalité en comparant ma dévotion envers le dur labeur avec celle d'une tante, d'une grand-mère ou d'une arrière-grand-mère. Elle aurait aimé que je naisse un dimanche, jour de repos, mais je me suis présentée un lundi et, dès mon plus jeune âge, j'ai semblé adorer relever mes manches et m'attaquer à toutes sortes de tâches, comme toutes les femmes qu'elle avait connues s'attaquaient à la lessive le lundi. Je me suis aussitôt sentie imprégnée d'une force nouvelle et du sentiment d'appartenir à l'histoire. Bien que je me sente souvent frustrée par sa mémoire défaillante, elle peut encore me raconter bon nombre d'anecdotes tirées du passé et elle est toujours prête à m'aider à les relier à l'avenir.

En ce qui concerne mon mari, il a travaillé extrêmement dur pour trouver qui il est. Quel plaisir que de vivre avec un homme qui a fait ses devoirs afin de renaître. Ensemble, nous avons dû gérer de nombreux changements – sur les plans professionnel, financier, familial et médical – et nous sommes finalement devenus deux nouveaux individus, même si nous partagions le même passé. Parfois, lorsque je le regarde, assis à l'autre bout de la table, je me surprends à penser à quel point je l'aime !

J'aime la façon dont il a transgressé les usages et suivi son cœur, j'aime la façon dont il veut aider les autres, faire une différence, tracer une nouvelle voie. Vieillir avec cet homme est devenu fascinant, passionnant et naturellement agréable. «L'homme est grand, non par ses buts, mais par ses transitions », a dit Emerson, et c'est aussi vrai pour nous. Des poussées de croissance se produisent lorsque nous nous y attendons le moins. Mais comme c'est alors merveilleux !

Et c'est ce qui m'amène à dire que *rien n'a plus de valeur que le travail significatif*. À ce stade de notre vie, ce travail a surtout trait à un réglage minutieux – c'est s'inspirer de nos expériences du passé pour faire quelque chose de significatif pendant le temps qu'il nous reste. J'ai été étonnée lorsqu'un lecteur s'est levé lors de l'une de mes apparitions dans une librairie et a dit : « Je trouve intéressante la façon dont vous avez transformé votre vie en vocation. »

Je croyais que je racontais tout simplement mon histoire. Mais lorsque je suis rentrée à la maison, j'ai cherché le mot « vocation » dans le dictionnaire et j'ai alors compris que ce lecteur avait raison. Une vocation est une inclination – une occupation pour laquelle une personne est particulièrement qualifiée, un mouvement qui résulte d'un appel. Si vous vous prenez au sérieux, explorez vos intérêts, cherchez la sagesse et entourez-vous d'âmes sœurs, et une vocation se dessinera inévitablement sous une forme ou une autre.

Finalement, j'ai appris que *rien n'a plus de valeur que ma propre compagnie*. Cachée dans mon espace sacré – Virginia Woolf avait vraiment raison –, je prends soin de mon esprit et de mon âme et cela se révèle beaucoup plus précieux que de calmer la foule. Car c'est dans mon espace, pendant ces moments où je me laisse couler dans une oisiveté rêveuse, que je peux vraiment m'exercer à être la nouvelle femme que je suis devenue. C'est comme si j'étais entrée dans une nouvelle ère – l'ère du ré-enchantement – où je grandis grâce à la découverte, la diversité, la variété, la spontanéité, où je suis maîtresse de chacune de mes journées, des journées qui ne sont plus programmées par les invitations et les obligations, mais plutôt régies par l'impulsivité, les rencontres fortuites, les décisions prises sur-le-champ, le courage et les nouvelles aventures qui se succèdent.

Comme l'a dit Ralph Waldo Emerson : « Ce qui est derrière nous et ce qui est devant nous sont peu de choses comparativement à ce qui est en nous. » Seule avec moi-même, je sais maintenant presque toujours ce qui va bien dans ma vie et ce qui ne va pas, ce qui est sacré et donc important, et ce qui n'est pas pertinent. Je suppose qu'on pourrait dire que cette quête intérieure m'a guidée vers un lieu confortable dans ma propre existence.

Un ordre du jour
pour changer votre vie
en un week-end

Cet ordre du jour peut être utilisé par un individu ou un groupe de femmes.

La préretraite

Après avoir lu le premier chapitre, « Réveillez-vous, mes sœurs, c'est à votre tour », et fait l'exercice du calendrier qui se trouve à la page 39, planifiez votre évasion. Choisissez un moment propice et un lieu convenable. Qu'il s'agisse d'un terrain de camping, d'un chalet, d'un gîte touristique ou d'une auberge, ce lieu doit se trouver à proximité d'une forêt, d'une plage ou d'un parc national – il doit vous permettre de vivre une aventure significative en solitaire.

Si possible, partez un jeudi et consacrez cette journée au déplacement. Profitez de la soirée pour vous installer – achetez des provisions (si nécessaire), mettez-vous à l'aise et puis réjouissez-vous de votre initiative. À quand remonte votre dernière escapade ? Y en a-t-il même déjà eu une ?

Vendredi matin
(la retraite)

Cette journée sera consacrée à l'introspection, à un retour en arrière avant d'aller de l'avant. Lisez le chapitre intitulé : « L'individualité commence dans l'isolement » et puis explorez votre environnement immédiat. Trouvez un lieu où vous vous sentirez chez vous – un lieu qui vous appelle, un lieu qui vous semble invitant et apaisant, un lieu où vous aurez envie de retourner encore et encore tout au long du week-end afin de vous retrouver et de faire le point sur vous-même. Cela peut être un banc sous un arbre, un belvédère, une dune, ou un tronc d'arbre couché au bord d'un ruisseau. C'est un lieu où vous serez silencieuse et à l'écoute – où vous rédigerez votre journal intime et entrerez en communication avec vos sens. Une fois que vous aurez trouvé ce lieu, observez-le, remarquez tout ce qui l'habite – familiarisez-vous avec lui de manière à en faire votre refuge.

Prenez ensuite le temps de reconnaître votre douleur – de comprendre ce que cela signifie que d'être vide. Vous avez amorcé un processus de reconstitution, mais vous devez d'abord comprendre ce que vous cherchez, ce que à quoi vous aspirez, ce que vous devez éliminer dans votre vie et ce dont vous avez davantage besoin. Répondez au questionnaire sur les transitions qui se trouve aux pages 56 et 57. Vous comprendrez mieux pourquoi vous aviez besoin de vous isoler.

Consignez vos pensées dans votre journal en utilisant les 3 phrases qui suivent comme entrées en matière :

« Je suis suffisamment perdue pour me trouver. »

« Le changement est possible lorsque nous cessons de vivre en fonction des attentes d'autrui. »

« Il n'y a pas d'appels plus élevés que celui de la transformation personnelle. »

Vendredi après-midi et vendredi soir
(la récupération)

Lisez le chapitre intitulé « Récupérez votre moi, morceau par morceau ». Faites les exercices des photographies, de la logique du cycle de la vie et des couleurs de votre vie aux pages 83 à 89. Et puis réfléchissez à cette déclaration d'Oprah Winfrey : « J'ai appris à miser sur les forces que j'ai héritées de ceux qui m'ont précédée... mes grands-mères, sœurs, tantes et frères dont le caractère a été forgé par des épreuves inimaginables, mais qui ont survécu. »

Si vous êtes en compagnie d'amies, parlez-leur de quelques-unes de vos parentes. Mettez par écrit les qualités qu'elles possèdent et que vous aimeriez ressusciter en vous. Cherchez ces racines robustes qui sont les vôtres et, à la fin de la soirée, réjouissez-vous de ressembler enfin à une « parente modèle ».

Samedi
(la restauration)

Lisez le chapitre intitulé « Accentuez le silence, faites taire les voix ». Après un petit-déjeuner copieux, apprêtez-vous à vous lancer dans une aventure en solitaire d'une durée de trois ou quatre heures. N'apportez que l'essentiel : de l'eau, un goûter et votre journal – tout ce dont vous pourriez avoir besoin pendant la journée afin de ne pas être obligée de revenir avant d'être prête à le faire.

Avant de partir, répondez aux questions qui figurent dans la section « Allégez votre fardeau » à la page 104 afin de débarrasser votre psyché de tout bagage inutile et des voix négatives. C'est une journée pour refaire connaissance avec vous-même, pour effectuer une spirale vers l'intérieur, pour trouver votre centre, pour ne penser qu'à vous et pour écouter ce que vous cœur a toujours tenté de vous dire. Alors que vous vous dirigerez vers votre lieu sauvage, réfléchissez aux énoncés suivants :

« Faites-vous un ami du silence. »

« La nature nous enseigne la dignité de l'existence à l'état pur. »

« Des messages puissants peuvent être trouvés dans des lieux où la discorde est plus courante que la paix, où l'instabilité règne, car tout ce qui vit est sujet au changement et à l'anéantissement. »

Arrivée à destination, commencez à explorer votre environnement et communiez avec lui. C'est maintenant le moment de vous extérioriser, de tester vos limites, d'aller là où vous n'auriez jamais osé vous aventurer. S'il y a une montagne à escalader, escaladez-la ; s'il y a une rivière à traverser, traversez-la. Si vous avez envie de nager nue dans un étang ou l'océan, faites-le. Mettez au défi non seulement votre esprit, mais aussi votre corps. Sortez de votre tête et mettez votre corps à contribution ; soyez le plus active possible – redevenez une enfant, ou une adolescente téméraire, tout sauf la personne prudente que vous êtes maintenant. Vous êtes faite pour pleurer, crier, rire et faire des folies – car c'est ainsi que vous arriverez à gérer le chagrin qui accompagne le changement.

Cherchez dans la nature des métaphores qui illustrent des aspects de votre vie. Consignez vos pensées dans votre journal intime. Éventuellement, vous voudrez peut-être vous lancer dans une chasse au trésor pour votre âme. Soyez à l'affût de choses telles qu'un caillou qui vous parle, un objet qui semble parfait, un son qui vous fait vibrer, un spectacle inattendu, une créature vivante, ou de tout ce qui peut stimuler votre imagination.

À la fin de la journée, lorsque vous rentrerez là où vous logez, étalez devant vous tout ce que vous avez trouvé dans la nature et notez dans votre journal ce que chaque objet signifie pour vous. Profitez de la soirée, sortez et admirez les étoiles, savourez un verre de vin, allumez des bougies, gâtez-vous.

Dimanche matin
(la recomposition et la régénération)

Lisez le chapitre intitulé : « Corps et âme ». Commencez la journée en réfléchissant à la façon dont votre corps vous a épaulée pendant votre excursion. Songez à toutes ses aptitudes en buvant une tasse de café et répondez aux questions qui se trouvent à la section intitulée « Cessez de négligez votre corps », à la page 134.

Prenez alors le temps de saluer la journée qui commence, offrez-vous un bon petit-déjeuner et puis faites l'exercice de la roue de l'équilibre. Vous apprendrez qu'il est possible de vous donner tout autant que vous donnez aux autres lorsque vous rentrerez à la maison. Envisagez une promenade, une séance de jogging ou une balade à bicyclette pour vous revigorer. Avant le dîner, lisez le chapitre intitulé « Lâchez prise devant les attentes d'autrui ».

Répondez ensuite au questionnaire « Donnez et recevez » qui se trouve aux pages 162 et 163 afin de vous assurer de continuer à vous donner à vous-même ce que vous donnez aux autres. Cela vous aidera à ne pas dévier de votre trajectoire.

Dimanche après-midi (le retour)

Lisez le chapitre intitulé « Rassemblez vos forces et commanditez-vous ». Il est temps de préparer le retour de votre nouveau moi. Commencez par déterminer les options qui s'offrent à vous et mettez-les par écrit en vous servant des diagrammes figurant à la page 179.

Formulez ensuite une intention. Inspirez-vous des qualités qui caractérisent vos ancêtres. Peut-être souhaitez-vous devenir plus rebelle, enjouée, téméraire, insouciante, marginale ou frondeuse. Peu importe votre choix, trouvez un caillou ou utilisez quelque chose que vous avez trouvé pendant votre excursion et inscrivez-y votre intention bien lisiblement. Ce sera pour vous un rappel qui vous aidera à continuer à tendre vers une nouvelle façon d'être.

Lisez le chapitre intitulé : « Intégrez votre nouveau moi à votre ancienne vie ». Avant de faire vos bagages et de rentrer à la maison, écrivez-vous une lettre, comme si vous vous adressiez à votre meilleure amie, et consignez-y ce que vous avez découvert pendant le week-end ; vous trouverez un exemple aux pages 195 et 196. Glissez-la ensuite dans une enveloppe sur laquelle vous aurez inscrit votre adresse et postez-vous-la dans un mois. Elle vous rappellera alors qu'il est temps de faire une autre retraite et de poursuivre votre exploration du moi.

N'oubliez pas que : *Vous êtes tout aussi inachevée que le rivage au bord de la mer, que vous êtes destinée à vous transcender encore et encore. Le changement demande du temps. On émerge lentement lorsqu'on écoute véritablement son cœur. On ne peut imposer un échéancier au travail de l'âme. Puissiez-vous être à jamais transformée !*

LA RETRAITE

Le reflux peut être un moment de repos, un « sommeil psychique »
après toute une vie passée à apprendre à être une femme.

Plongez-vous dans un monde uniforme de temps continu, là où
les heures sans fin permettent la croissance à partir du néant.

LA RESTAURATION

Je déteste maintenant que l'on me dise forte, celle sur laquelle tout le monde compte pour s'en sortir.

Ayant dévié de notre trajectoire, nous n'avons pas d'autre choix que de trouver le chemin du retour, notre propre chemin. Il n'y a pas de sauveteurs, aucune chambre à air pour nous secourir – seules notre force intérieure et notre volonté seront nos bouées de sauvetage.

LA RÉCUPÉRATION

Il est désormais primordial que je récupère ces parties de moi qui sont enfouies dans mon être – je veux retrouver l'enjouement, la vulnérabilité, je veux être bien dans ma peau, je veux davantage faire appel à mon instinct. Comme on assemble les pièces d'un puzzle, il faut que je me reconstitue en un tout.

❖

Je ne suis plus une fleur de serre dont on force la floraison, mais plutôt une femme épanouie qui découvre son moi authentique.

❖

LA RECOMPOSITION

Nourrissez vos intentions – intendere *en latin, qui signifie « tendre vers quelque chose » – et continuez de suivre votre instinct et d'écouter vos intuitions.*

Tout comme j'ai trouvé sur la plage tout ce qu'il me fallait pour fabriquer une sirène parfaite, nous devons consacrer tout autant de temps à remettre ensemble les morceaux de notre vie. Nous sommes aussi malléables que la sirène dessinée sur le sable – des hommes et des femmes inachevés qui font de leur moi une nouvelle création.

LA RÉGÉNÉRATION

Le rôle de la femme française est de plaire aux autres, mais aussi de veiller à se faire plaisir en même temps. Je dois donner à mon corps un esprit qui lui appartienne – je dois lever les restrictions que je lui ai imposées – je dois enfin essayer de le traiter comme s'il était très bien et normal, quoi que cela puisse être.

J'apprends à me commanditer – je ne suis plus la servante, mais la maîtresse de mon temps et de mon destin. Tout est dans l'intention – il faut savoir quand ouvrir la porte et puis quand la refermer.

LE RETOUR

Mon principal défi maintenant consiste à me laisser emporter, à céder devant des courants invisibles et à me laisser dériver.

Peut-être devrions-nous applaudir la perte de contrôle, nos tentatives ratées de changer les autres, et puis nous concentrer uniquement sur notre transformation personnelle.

Un week-end pour changer votre vie

Guide pour créer un club de lecture

À propos de ce guide

L'introduction, les questions de discussion et la note biographique qui suivent vous aideront à alimenter vos conversations à propos de cet ouvrage de Joan Anderson, *Un week-end pour changer votre vie*. Nous espérons qu'elles vous offriront des avenues de réflexion et de discussion fertiles. Pour plus d'information, consultez :

www.joanandersononline.com

Introduction

Imaginez une femme dont les espoirs et les buts ont été relégués à la fin de sa liste de choses à faire, mais qui réussit haut la main à concrétiser les rêves des autres. Elle consacre des heures d'énergie émotionnelle et physique à des engagements sociaux et aux besoins d'autrui. Elle a le sentiment de se noyer dans un torrent de responsabilités. En lisant ces mots, Joan Anderson s'apprête à lui lancer une bouée. Cette femme en crise, c'est peut-être vous, ou c'est peut-être une femme que vous connaissez. Dans un cas comme dans l'autre, *Un week-end pour changer votre vie* amorcera le processus d'une merveilleuse métamorphose de l'âme.

L'histoire de Joan Anderson et de l'année qu'elle a passée au bord de la mer est devenue légendaire. Après que ses fils ont quitté la maison et que son mari a accepté un nouvel emploi, elle a fait un geste vraiment radical. Elle a décidé de vivre seule pendant un long moment, de répondre à ses besoins plutôt qu'à ceux de sa famille. Pendant ces mois de solitude au bord de la mer, elle s'est lentement affranchie de nombreuses années d'insécurité et d'artifices, donnant ainsi naissance à une femme forte, équilibrée et entièrement authentique qui n'allait plus jamais se permettre d'être émotionnellement épuisée.

A Year by the Sea, le récit de son séjour, est rapidement devenu un grand best-seller, et l'auteure a réalisé que l'épuisement et le sentiment de vide qu'elle ressentait auparavant étaient également le lot d'innombrables femmes de tous les âges. Depuis la parution de *A Year by the Sea* en 1999, elle a partagé sa sagesse transformationnelle avec des milliers de femmes qui ont participé à ses retraites d'un week-end. *Un week-end pour changer votre vie* donne maintenant à chaque femme l'occasion de connaître la joie thérapeutique de cette évasion de deux nuits. Rempli d'exercices libérateurs et des paroles électrisantes et pleines de vérité de Joan, ce puissant petit livre vous ouvrira la porte d'un nouveau monde d'épanouissement.

Vous pouvez choisir de lire ce livre seule, avec une amie ou en groupe. Vous pouvez le lire dans un lieu reculé ou non loin de chez vous. Et il n'est pas nécessaire que vous fassiez tous les exercices en un seul week-end, le respect des règles ne fait certainement pas partie de ce programme. Peu importe l'approche que vous adopterez, nous espérons que les thèmes et les questions qui suivent sauront rehausser votre expérience alors que vous cheminerez à travers ce guide exaltant qui mène à la liberté.

Thèmes et questions de discussion

1. Dans l'introduction, Joan nous dit qu'elle a déjà été tellement vidée de toute énergie à force de répondre aux besoins et aux attentes de tout le monde qu'elle a frôlé le désespoir. Le simple fait d'être vivante ne la nourrissait plus. Comment le concept d'être « seulement vivante » s'applique-t-il à vous ? Quels signes montrent que cela ne vous nourrit plus ?

2. À l'étape de la préretraite, Joan aborde le thème du « calendrier trop chargé ». Quels schémas avez-vous découverts en dressant la liste des activités qui vous épuisent et en choisissant de vous offrir quelques petits plaisirs afin de vous revigorer ? Qu'est-ce que vos activités favorites révèlent de la personne que vous êtes vraiment destinée à être ?

3. Après avoir lu le premier chapitre traitant du vendredi, « L'importance de la retraite », dites en quoi votre définition du mot « retraite » a changé. De quoi avez-vous le plus envie de vous éloigner ? Que croyez-vous avoir le plus de difficulté à laisser derrière vous ?

4. Quelle parente modèle avez-vous choisie dans le cadre de l'exercice d'inspiration ? Comment a-t-elle affirmé son indépendance ? Que vous dirait-elle maintenant si elle participait à cette retraite avec vous ?

5. Pendant que vous étudiez votre développement à partir de photos prises pendant votre enfance, y a-t-il des images qui vous ont surprise ? Comment les membres de votre famille réagissent-ils devant ces photos ? Leurs souvenirs correspondent-ils aux vôtres ?

6. Joan Erikson est devenue l'un des plus grands professeurs de l'auteure dans l'art de cultiver une vie épanouie. Qui pourrait jouer un rôle similaire dans votre vie ? De qui aimeriez-vous être le mentor dans ce domaine ?

7. Comment les huit stades du cycle de la vie décrits par Joan Erikson se comparent-ils aux points de repère auxquels on

vous a enseigné à vous attendre ? Quels points forts avez-vous glorifiés en tissant la tapisserie de votre vie ?

8. Comment avez-vous réagi à la solitude pendant l'excursion du samedi ? Qu'avez-vous découvert au sujet de votre esprit et de votre corps lorsque vous avez pris le temps d'explorer un espace ouvert, sans itinéraire à respecter ? La nature vous a-t-elle saluée comme le font parfois les phoques lorsqu'ils aperçoivent les invitées de Joan ?

9. Qu'avez-vous ressenti en vous écrivant une lettre décrivant le processus de cet éveil ? Avez-vous utilisé un ton ou une voix particulière dans cette lettre ? Le dialogue intérieur qui en a précédé la rédaction était-il tendre et positif ?

10. Quels aspects de votre vie vous ont semblé les plus difficiles à agencer sur la roue de l'équilibre dont il est question dans le chapitre traitant du dimanche matin ? Comment avez-vous relevé ce défi ? À quels aspects du moi prêterez-vous une attention renouvelée ?

11. Comment de nouvelles avenues avez-vous découvertes en faisant l'exercice des carrefours ? Quelles habitudes, personnes, obligations et émotions abandonnerez-vous au cours du processus d'exploration de nouvelles possibilités ? Quand aura lieu la prochaine retraite que vous vous êtes promise ? Quelles transformations prévoyez-vous connaître d'ici là ?

12. Quelles ont été vos impressions pendant la phase du retour ? En quoi votre perception de la vie a-t-elle changé ? Les autres vous voient-ils différemment ?

13. À la fin de la postface, Joan écrit que les « courses d'endurance » que faisait son fils étaient pour elle une source d'inquiétude jusqu'à ce qu'elle assiste à l'une d'elles. « C'est la difficulté qui rend tout cela si merveilleux », lui disait-il. Quelle est la meilleure façon de faire la distinction entre les grands défis qui nous font du mal et les grands défis qui nous aident à utiliser pleinement notre potentiel ?

14. En quoi la vie de la femme diffère-t-elle généralement de celle de l'homme ? Pourquoi tant de femmes ne trouvent-elles pas important de prendre soin d'elles alors qu'elles prennent des mesures extraordinaires pour s'occuper des autres ? Qu'est-ce qui pourrait inverser le courant ?

À PROPOS DE L'AUTEURE

Photo : Sarah Fantom

Joan Anderson est l'auteure de trois ouvrages non romanesques destinés aux femmes :

A Year by the Sea ;

An Unfinished Marriage (tous deux des best-sellers du New York Times) ;

et A Walk on the Beach.

Elle est également une journaliste chevronnée et elle a écrit de nombreux contes pour enfants.

Diplômée de la Yale School of Drama, Joan Anderson vit avec son mari au cap Cod.

Pour entrer en communication avec l'auteure :

www.joanandersononline.com

En vente chez votre libraire ou à la maison d'édition
Prix sujets à changement sans préavis

Si vous désirez obtenir le catalogue de nos parutions,
il vous suffit de nous écrire à l'adresse suivante :

Les éditions Un monde différent ltée
C.P. 51546
Succursale Galeries Taschereau
Greenfield Park (Québec)
Canada J4V 3N8
ou de composer le 450 656-2660 ou
800 443-2582 ou le téléc. 450 659-9328

Site Internet : http://www.unmondedifferent.com
Courriel : info@umd.ca